新潮文庫

さようなら、ラブ子

yoshimotobanana.com 6

よしもとばなな著

目次

本文カット／百田千峰

さようなら、ラブ子

yoshimotobanana.com 6

Banana's Diary

2004,1－2004,6

2004年1月1日

実家へ。今日もじじばばおばは、赤ちゃんばかり見ていた。そして赤ちゃんはいろいろ食べまくって、みかんは二個も食べて、見えていた肋骨《ろっこつ》がふっくらと覆《おお》われるほど露骨に太ってきた。

ヒロチンコが彼の実家に戻っていて留守なので、ふたりで気ままにチキンラーメンなど食べていたら、ジョルジョとたくじから電話があって「今からチキンのハーブ焼きを食べるんだよ！」などと言っている。うらやましい！　と思いつつ、すぐおいしい、すごくおいしい素ラーメンをすする母子。

夜、ヒロチンコから電話があった。

ヒロチンコ「実家がとんでもないことになってた」

私「わかった！　実家に薪《まき》ストーブが導入されてたんでしょ？」

それどころではなかった。なんと、家が燃えて半分なくなっていたという。しかもそれを数ヶ月の間、全く知らされていなかったと……すげ〜、ゲッツ板谷さんちみたい！

まあ、住んでいる人の名誉の問題もあるので、これ以上は書かないけど、笑っちゃいけないことなのに大笑いしてしまった。だって、お正月に実家に帰ったら、なぜか家が焼けてるって……。知らせない？ 普通。それまでに数ヶ月、何回もやりとりしてるのに!?

うちのお母さんなんか正月から具合が悪いと言っていたのに、それを聞いたらあまりの突飛さに笑いすぎておなかが痛くなってハッピーになっていた。

すごいなあ……。ありえない！

1月2日

ヒロチンコ「朝起きたら、全部悪夢で家は元通りかと思ったけど、やっぱり焼けてた」

名言である。

なっつとその話で爆笑しながら実家へ。今日もおっとりとおせちとおもちを食べる。

お菓子をもらってますます太る赤ちゃん。ほっぺたもつやつやだ。

夕方は結子の家におせちの残りを持っていって、具の豪華な五目ごはんを赤ちゃんといっしょに食べる。そしてクイズ$ミリオネアを見て、新庄くんに感動する。あんなにかっこよくて面白い上に野球もできる、彼のことはそういうふうにとらえたほうがいいような気がする。野球選手なのに、を先に持ってくるといろいろ問題ありだと思うので。

1月3日

いろいろな人が集う実家へ。

和やかにおぞうにを食べたりしていたが、今年は赤ちゃんにかかりきりなところが違うところ。おおしまさんにも「ふたりはずっと赤ちゃんといるね」と指摘されました。こんなときが自分の人生に来るなんて、まだびっくりしている。

今年は混雑の浅草寺《せんそうじ》に行けないので、帰りにお茶をしようとちょっとだけ六本木ヒルズに寄ってみる。しかしすごい混雑で早々に退散、いつも行くような東京中にある店でちょこっとお茶をして、天使のリングを買って帰る。でも、パンを買っていたらとんでもないガクトみたいな人が後ろにすらりと並んできたり、謎《なぞ》のゴシック系のお人形をすわらせていっしょにお茶をしている人たちがいたりして、やっぱり、六本木だ……。

夜はなっつのお母さんが作ったとてもおいしいスイートポテトと、はるさめのスープと、買ってきたパンでつつましく過ごした。

1月4日

中華街に行ったが、すごく混んでいる上にまずかった。小龍包《しょうろんぽう》がおいしいという店だが、それ以外の全《すべ》ては化学調味料とタマネギとピーマンでいためてあった。その味が何皿もリフレインされるので、お正月の冗談かと思ったら、まじめだった。値段もまじめだったので悲しかった。

もしかして、中華街に行かないと中華がおいしくない時代って、とっくに終わっているのかも。勤勉な？　日本人によって、都内ってすごい改革がすすんでいるのかも、この数十年で。

そう思うと、すごいと思う。昔は中華は中華街って感じだったもの。それにこの世にはパスタもエスプレッソもなかったもの。家にお菓子は泉屋のクッキーしかなかったもの。日本人って、ほんとうにマメというか速い。ここまでいやしんぼな変化を！　でも観光地としてはすごく楽しめるし、茶藝館《ちゃげいかん》みたいなのもちらほらできてきたし、カフェも増えているし、時代の変化は感じた。

チャイハネのカフェに住みたいねとヒロチンコと言い合いながら、将来住む家の内装まで考えて、お茶をした。家族だ……。

そういうことを考えているときがいちばん楽しいし、誰の人生にとっても、もっともっとそういうのが必要だと思う。

1月5日

ヒロチンコがヒロチンコによるヒロチンコのためのお誕生ケーキを自分で買ってきた……いくら赤ちゃんにかかりきりで出られないとは言っても、なんだかかわいそうだなあ。しかも「十二時すぎたらまた奴隷《どれい》のようにこきつかってやる〜！」と小説がつめの私に言われている彼。実家も半焼！　彼の一年に幸あれ！

気の毒に思い、もうぜんと花巻を手づくりして蒸す。案外おいしくできたが、こういう日は、ぜひ、高山なおみさんが出張してきてほしい……。

とにかく自分の下手で雑な料理に飽きました。とことん。一日二食しかない食事をほとんど毎日家で食べているので、もう何も食べたくないほどだ。痩《や》せるのにはいいかも！

陽子ちゃんちから歩行器をレンタルしたので、赤ちゃん……というか彼はもう、立派な怪獣チビラだ。チビラを乗せてみたら、なんだかジャンプして大騒ぎしている。そうやって使うものじゃないのよ。最近はやたらあちこちにつかまり立ちして、歩けないのでずっとそのままでいて、やがて立ちつかれて「ママ〜！」と叫んでいたりして、笑わせてくれる。

あとは一日仕事仕事仕事。四時間パソコンに向かいっぱなしで、くらくらしたが、もう四時間ほど続きがあった。ふう。

1月6日

なっつも「テンプテーションアイランド」にはまっている。うぷ。

TVを見るのがあんなに楽しいなんて！　という感じ、わかるわかる。幸せだったもん、見てるあいだ。

今日から「はねる……」も始まるし、「探偵!……」も来週から復活だし(テレ朝に電話して聞いた)、ずうっと家にいる身としては嬉《うれ》しい。

仕事ざんまいののち、フラへ。

小説を、あまりにもいろいろ考えて書いていたら「このカップルはだめだ……」とか「案外この人たちは長いかも」などと占い師のようになってきた私だったが、私が行く末を考えてもいいはずの人たちなのでは? ひとり歩きというよりは、もはや実在の人たちだ。そしてその人たちの未来といっても、それっていつなのよ! 本が出るときのこと? などと考えてしまった。

フラのクラスでは、みんながとってもきれいで、かわいくて、優しくお菓子とか年賀状とかくれるし、お誕生日の人を心から祝ったりして、すごくハッピーなひとときだった。そしてオガワさんがなんだか突然すごく美人になっていた。前から美人なんだけど、急にすっと顔の美しさが際立《きわだ》って明るいオーラに変わり、フラもぐんとうまくなった。そういうことって、あるんだなあ~! 新年だから? 踊っているときにじっと見とれていたら、なんと、帰りに「私も馬を見かけます!」としんのすけくんの話になった。すごいご近所さんだった。

この近所ではみんなが見て驚いているしんのすけくんは、ミニチュアホースだ。いつもおじさんが連れていて、意外にすごく大きいので道で会うとぎょっとする。そしてオガワさんもそうだったそうだが、驚いてまわりの人に「今、馬を見た!」というと「うそ~! 大きい犬じゃない?」と言われるのだった。新しいお隣さんの家の高校生のお嬢さんも「今、ついに見ました!」とエレベーターの中で微笑《ほほえ》んでいたっけ。

さらにあゆむ先生までも、しんのすけくんを目撃できる範囲内に住んでいることが発覚! しかし、しんのすけ、毎日どれだけの距離を散歩しているのだ? もはや「港のヨーコ」状態。

あゆむ先生は今日も芸能人としか思えないくらい美しく優しく色っぽく、いいものを見た! と思った。男の人だったら、もう、あの人が歩いてるだけで気分が明るくなるだろうなあ~。だって、生きている不二子ちゃんなんですもの。踊りも最高にすてきだし。よく、見とれて自分は止まっていることが私にはあります。

それから、クリ先生が、まさにカルーア(今、踊っている踊りの主人公)に化身していてびっくりした瞬間があった。思わずあまりの迫力に背筋がぞっとして涙が出てしまった。そして、私がそう感じた瞬間、クリ先生にもそれがわかったと思う。ほんとうに奥が深いものだと思う、ダンスって。

そしてサンディー先生のすばらしい微笑み……。女の人たちが集まって心おだやかに、きれいにしてることって、世界を救うと思うな。

今日は全体的に寒くて淋《さび》しい日だったけれど、ニュースも暗かったけど、あそこにいるおじょうさんの誰一人、かわいくない人はいなかった。それだけで明るくなり、救われる。特に殿方たちは最近元気がないようすなので、もう、あんなにもかわいくきれいな人たちを見て、元気を出して、ふさわしく輝いてほしいものですな。

1月7日

実家へ七草がゆを食べに行く。最後のおせちと共に。今年も無事に始まったという感じがやっとしたけれど、浅草寺のおみくじは凶。しかし、果たして凶じゃない年ってあったのでしょうか？　チビラができた年もばっちりと凶だった。

小説が詰めに入っているので毎日半分徹夜、夜明けに乳も吸われてよれよれだが、ハルタさんや慶子さんの顔を見て、きりっとした気持ちになった。今日から事務所に人がいてくれる、それだけでやる気がでる。

またもや歩行器に入って赤ちゃん大活躍。次々といろいろなものを食べさせられ、最終的には下痢《げり》をしていたが、すごくちやほやされていた。最近彼はげらげら笑ったりするので、その様子が大うけ。

さて、今度の小説は村上春樹《はるき》を意識してか（いや、違う……）、RADIOHEAD の曲からタイトルを取りました。まさに最後の仕上げ時期。一冊分の本になる分量を、一日何回も何回も読み直して、つぎはぎにコラージュしたところのつじつまを合わせるもっとも集中力のいる作業なので、小説の内容なんて忘れてきてしまうし、面白いのかつまらないのかもわからなくなる。

ただ親の立場で書いているので、視点が新しい感じがする。ほんとうは女の子を産もうと思っていたので、結局持つことはなかった女の子を持ったお母さんとしての小説だ。さらに、最近もう怒りにまみれて思っていた「こんなのが人生だったらうそだ！」というような気持ちをみっちりとこめたアウトサイダー的ほんわかファンタジーだということは、自分でも、わかる。

この、詰めのときってほんとうに、受験の前の日が毎日続くような圧迫感と肉体的疲れがある。でも突っ走っているので楽しいという気もする。終わったら何しようとか考える楽しみがあるから。でも、終わるとたいてい倒れるので、何もできないのが常だ。

倒れない執筆スタイルを模索しよう……。

1月8日

初焼肉。

健ちゃんがまたもとある社長から、謎の漢方薬をあずかってきてくださる。喜んでいただく。そして肉やイカなどをみんなで楽しく焼く。

そして衝撃の事実を聞いた。

健「阿寒湖のまりもは比内鶏《ひないどり》と同じで、天然記念物だからとっちゃいけないんですよ！　だから、売っているまりもは工場でおばさんが手で丸めてるの。TVでその映像も見ましたよ」

うそ～、五十年ものかと思っていたうちのまりもは、おばさんが大きめに丸めたってだけなの？

ショックを受ける私に、彼は優しく「でも、同じ種類の藻ですから！　それに、手作業でしたよ!」と言った。

手作業だから、どうしたっていうのだ〜!

1月9日

一日中家で仕上げ仕上げ仕上げ。

かなりのところまで直したが、完成に至らず。もう首がどうにも痛くてまわらなくなり、目が痛くて頭痛が爆発。なっつに赤ちゃんをしっかりと押し付けて、リフレクソロジーへ行く。

みっちりとやってもらい、ぐうぐう寝たら、首の痛みが治っていた。すごい!　しかし足の裏の反射区は、確かに首のところが硬くてごりごりいって、すごく痛かった。

嬉しくてチャカティカに寄り今年初のチャイを飲み、田中さんに新年のあいさつをして、私には佐賀のすてきな器を、チビラには上海みやげの赤い馬をいただいた。上海の写真も見せてもらったが、普通の下町の背景にどかんと建っている六本木ヒルズみたいなやつにびっくりした。まるで合成みたい……。

田中さん「マナチンコくんに、愛してるって伝えて！」伝えたら、馬をむしりながら喜んでいました。

買ってきたオレンジの布とハロゲンヒーターと南国の観葉植物のおかげで、ソファのところだけなんとなく妙にトロピカルになった。日焼けサロンみたいなトロピカルさだ。

ずっとらでぃっしゅぼーやでまかなっている我が家の夕食だが、帰りに寄った八百屋さんでつい嬉しくて、芽キャベツとかしそとか菜花とからでぃっしゅにあまりないものを買ってしまった。そして卵とみりんとしょうゆのみの上品なゴーヤチャンプルと、ナンプラーと塩としそとせりのソーミーチャンプルを作った。

今日も結局徹夜になりそう。癒《いや》しがだいなし！

1月10日

朝、チビラが寝入っているのでトイレに行ってそのあと洗濯物を取り込んでいたら遠くで「むふ〜ん……」というようなかすれた声が聞こえてきたので、あわてて走っていったらすごくあぶないベッドの板につかまり立ちにこにこして何か言っていた。

こわすぎる、もう目が離せない。

しかし仕事仕事仕事！

隣でゴミ箱をあさっていようと、エビオスのビンをふりまわしていようと、貯金箱からお金をどんどん出していようと、気をつけながらしかし仕事……。もう忍者になれそうなくらいに神経が疲れる。子犬が小さいときと何も変わらないこの状況だ。ベビーシッターサービスからは連絡がきやしないから、他の会社にも当たってみよう。

そしてほんとうに、心から思う。「サル飼わなくてよかった！」と。

動物と赤子の大変さがミックスされてパワーアップしている生き物なんて、ぞっとする。

家の中がどんなことになってしまうのでしょうか。

ビーの血液検査の結果をなっつに聞いてきてもらい、いろいろ注意事項を聞いた。ううむ、茶トラは腎臓《じんぞう》疾患にかかりやすいのか。

あまりにも家にいて根をつめすぎたのでこれではいかんと、一瞬渋谷に行き、パルコブックセンターで資料の本や、漫☆画太郎のマンガなどをどっと買う。西村しのぶ先生のマンガも買う。読むといつでも美人に整形したくなるのが悲しいが、「そうそう、これが人生！」って思う。人生観そっくりだ。人に怒られそうな人生観なところも。

このあいだ買いそびれたタイラミホコさんの大きなカップを買いに、セレクトショップにも寄る。若者の、若者による、若者のための店で、ここまでおばさんだとマジで入るのが恥ずかしいようなかわいく美大っぽい店だった。いいなあ……親が文芸評論家と元教師というまじめっ子の私がもっとも通ることのできなかった青春……雑貨などのお店をやって、おしゃれな友達がいつでも男女とりまぜて（ここがポイントね）ぐじゃっとまわりにいて、好きな曲かけて、ちょっとシルバーやどくろな感じとジャマイカな感じが混じっていて、週末はクラブに行ったりするあの感じ！　とうらやましく思いつつ、クロエ・セヴィニーみたいなかわいくてクールなお姉さんと、かしこそうで美人なお姉さんに喜ばれ驚かれるくらいたくさんカップを買った。「こんなに買ったら食器棚がいっぱいになっちゃいますね！」ってとっても若者らしい意見、いえ、おばさんの家は、食器棚ないんですが、でっかい棚があるんです……。そこにすでに陶器がぎっしり。でも、タイラさんのはほんとうに気に入ったので、チャカテイカの陶器と平行して愛用しているのです。ほんとうに大好きだ。すっかりはまった。使っているだけで気持ちが幸せになる器っていう感じがするし、色も形も私のライフスタイルにぴったりなのだ。

そして仕事から逃避してマンガを読みつつこわい映画「呪怨《じゅおん》」を観《み》ていたら、赤ちゃんはなんとなくTVに背を向けてぐずるし、ヒロチンコもTVから目をそらしている。こわいんだね！　君たち！

彼らがこわがって退場したので、ひとりで観る。

今の私には、小さい男の子はみなかわいくしか見えないというのと、そこまで赤の他人を呪《のろ》いたい気持ちにいまいち説得力がないという点で、思ったよりもこわくなかった。こわかったのは、観た直後にいきなりブレーカーが落ちて、真っ暗な中ひとりぼっちで納戸《なんど》に手探りで行ったことだった。残りのふたりは別の部屋で寝てるし……うぇ～ん！

あの映画を観た直後に起こってほしくないことのトップだろう。

夜中の三時過ぎにやっと小説が完成したので、事務所などに送りまくってせいせいして寝る。

1月11日

もうだめだ……という感じで午後をだらだらと過ごす。

そして突然一日をとりもどすかのように、六本木ヒルズのみかわにてんぷらを食べに行く。本店（一回しか行ったことないけれど）と変わらないおいしさだった。感じもよく、赤ちゃんもお座敷で静かにしていてくれたので、よかった。コースのみなので、みっちりと天茶までいただく。前に天丼《てんどん》を頼んだら、まわりが全員天茶で、ちょっと後悔したのです。確かに、天茶のほうがおいしかった。

それにしてもいきなり風が強く寒くなり、びっくりした。そしてあんなおそろしいビル風はじめてだ。さすが六本木ヒルズだ。

1月12日

関姉妹の家に、遊びに行きがてら自分がマッサージを受けに行く。

行くといきなり姉妹の目は赤ちゃんに釘付《くぎづ》けだった。赤ちゃん好きというよりは、プロの目っていう感じだ……それにしても、彼が新生児の時期はこのおふたりに支えられたと言っても過言ではないのに、近所だからとついため口をきく私だった。しびれるほどのコリをもみほぐされて、気が遠くなった。コリとは下からどんどん出てくるものだそうだ。どこまで続いているのだろう、こわいよ〜……。

結局もまれてだらりとさせてもらったらあっという間にもうなっつが来た。チビラくんは大騒ぎして関姉のつくったあずきのパンを手づかみで食べ、関妹のおひざですうすうと寝た。ただ単に、また世話になっただけだった！

私はほぐされて久しぶりに首が回るようになった喜びで、スーパーでばかみたいにいろいろ買ってしまった。しかもなんだかわからないがハンバーグを作り出した。健康ってすばらしい。

野口整体の野口先生が「何があったから幸せっていうのではなく、生きているだけで、なんともいえなく幸福な感じがするのが健康ということだ」というようなことを言っていたが、まさにその気持ちが、今日ほぐされたあとの私だった。

ロルフィングやリフレクソロジーのあとでもそう感じることがある。

意味もなく、ぽわ〜んと温かく、幸せな感じがする。人々も美しく見える。

インファントマッサージを受けていたチビラも同じ感じだったのだろうか？　いつか聞いてみたい。今は、もむと油を光らせながらかたつむりのように去っていってしまう彼。

1月13日

フラへ。

なんだかものすごく大変だった。先週よりもむしろ体が重い、締め切り後の私。体がだらしなくなっている感じだった。でも、もみかえしはなく、首が長くなった感じだった。首は長くなっても、踊りはうまくなっていなかった……。

ストーカーらしくオガワさんの家を確認し、お誕生日のかわいい人を祝い、わきあいあいと踊り、帰りは慶子さんとちょっとお茶をした。

最近天使がはやっている私としては「金があって、かっこいい独身男性を！」と慶子さんの上にいるはずの天使にお願いしてみた。すると、なぜかレストランが浮かんでくる。何回も浮かんでくる。さあ、どうなるのだろう。楽しみだ……。

小説の感想がぞくぞく届き、やっとまくらを高くして寝ることができる。今回は小さい女の子が主人公だけれど、私の人格は完全にそのお母さんに宿っている。ああ、親って！　残りが主人公の好きになる男に宿っている。かわいい14歳は私の中に残ってないみたいだ。

このところずっとその人たちといたので、なんだかもう会えないのが淋しい。

なんとものどかな人々であった。

1月14日

それにしてもモイヤー先生の死はショックだった。

自然に深く関わる人々には、どうして独特なもろさがあるのだろう。うちの親もそうだったけれど、74歳は、急に人が鬱《うつ》っぽくなる年齢だ。多分、ホルモンの問題もあるのだろう。そんなふうに片付けてはいけないけれど、元気そうでもその年齢になると急にがっくりと落ち込んでいることがあるので、気をつけなくてはいけないと思う。

とても子供がいる部屋で観てはいけない気がするメキシコの映画を今頃やっと観た。「天国の口、終りの楽園。」。あの若くかわいいがセックスが下手なやる気まんまんのいつもへべれけな子達と旅行するなんて、特に具合の悪いときは絶対にいやだなあ、たとえ天国の口に行けても……という感想を抱いた。

そして晩御飯を食べに行った高島屋が無慈悲にも目の前で閉店していった（明日からセールだそうだ）ので、あきらめて別のところで和食を食べる。北海道で食べそびれたたらば蟹《がに》がでてきたので、嬉《うれ》しかった。

風邪としかいいようがない体調で、体中がぞくぞくしていたが、寝たら治った。昔だったらだらだらと長引いたんだろうなあ、母は強し！

1月15日

大澤さんに赤ちゃんを見せに群馬へ。

鈴やんとなっつと出発した。うちのナビ子さん（女の人には冷たいので、女性の小人が中に入ってるとふんで、みながそう呼んでいる）が異様に細かい道を教えてくれつつ、環八の混みを回避しようとしていた。すごいなあ……。梅丘《うめがおか》の、絶対に覚えられない道だった。

ちょっと遅れて、母と姉、そしておしまさんと合流した。大澤さんは阪神が優勝したのでその話題になるととても幸せそうだった。あんなにも人を幸せにするなんて、阪神の優勝……あなどれない。

そして大澤さんは赤ちゃんにとても優しくしてくれた。しかし赤ちゃんはチビラに変身し、納豆まきなどを手づかみで食べていた。

宿はこのあいだよりも安く家庭的だった。でも、なんとなく、伊香保《いかほ》温泉はもういいかな〜……っていう気持ちになった。仲居さんのせちがらさとかエロ話にもう酔ってしまうような気持ちになるのですもの。おおしまさんがこのあいだの責任を感じていて面白……いや、申し訳なかった。だって、宿が変なのはおおしまさんのせいじゃないじゃん！

お湯は全《すべ》て源泉なので、むちゃくちゃぬるかった。凍えるほどだった。でも、ゆっくり入ったら車疲れがほぐれた。

赤ちゃんが寝てくれたので、みなでなんとなく「白い巨塔」を見て、またぬる風呂《ふろ》に入りにいった。11時で入れ替わるはずの男風呂と女風呂が入れ替わっていなかったので怒った姉は、黙って看板を入れ替えていた。そして係の人が「女性がどうして入ってるのです？　看板入れ替わってました？」と言いに来たら、「11時で入れ替わるって聞いてましたけど！」などとしらじらしく言っていた。

チビラはそれから爆発的にお菓子を食べ、姉とあそんではしゃぎ、コップをこたつから落とす遊びにはまり、何回ふとんに入れても「うい〜！」とか言って逃げ出し、結局乳を飲ませたりなんだりして、何回も連れ戻し、寝たのは二時半だった。旅ってやっぱり嬉しいんだなあ……それとも、いつもいないばばやおばがいるからか。

夜中にパパを探してちょっとぐずっていたので、ほっとした。パパのことを忘れたのか〜？　と思ったので。

そしてどうでもいいけれどあの気になる「く〜ろまめ〜ココア〜」のＣＭ、よく聴いていたら「イソフラボンジュ〜ル」なんて言っていた。衝撃！

1月16日

そういえば私の姉は、昔から動物や子供を狂ったようにはしゃがせて、とりかえしがつかなくなるまでもっていくことで有名だった。朝、まだ寝ぼけているわが子を見て、そうだ、昨日のはしゃぎは旅のせいではない！　姉のせいだ！　と思い当たった。「さわちゃんと子供たちを一部屋に入れて目を離してはいけない」と全ての親たちが言うくらいだった。動物も同じみたいで、いつでも興奮して、走り回りだす。

それから、バスの中などで施設の子供たちがまっすぐに姉を目指してきたり、自閉症のはずの子がなぜかしゃべりかけてきたり、そういう何か不思議な力もあるのだった。

きっと異様なテンションで生きているのだろう。

その逆の才能も実はあるようで、このあいだ海でふたりのちびっ子が遊んでいるうちに興奮状態になり、みんなのことをたたいたりして廊下で走り回っていた。宿だったので困った人々が真剣にしかったりしたが、だめだった。しかし姉が「ちょっとここに入って」と静かに言い、そのふたりと部屋に入って、しばらくして出てきたら、ふたりは凍りついたようにしんとなっていた。姉に「何をやったの？」と聞いたら、「ただ、ひとりずつ『いいかげんにしな』って言って逆さにしただけだよ」と言っていた。それだけで、あのうるささがおさまるなんて、ありえないのだが……。

チェックアウト時に鈴やんのご両親とちょっとだけ会えた。わざわざ宿までおいしいお菓子を持って来てくださり、お母さんはチビラを寝かしつけて抱っこしていてくれた。そしてお父さんはにこにこしていた。鈴やんはにやにやしていた。ちょうどふたりの顔が半分ずつの顔の鈴やん……ううむ、息子！　うちもこうなるのだろうか。

なぜか全員が私のように、姓名判断のとりこになっていておかしかった。「運がよくなるにはもう離婚するしか！」とか「子という字を虎《とら》にするとよかった」とか言い出していた。そうそう、私もはまってしまい、考えすぎてもうわけがわからなくなったものだ。

おおしまさんと涙の別れをして、なっつと東京に向かう。

玄関で犬たちに襲われてどかんとこけて、ひざに大きなあざを作ったけれど、抱っこしていた赤ちゃんは無事だった。ほんとうによかった。

1月17日

雪が降っているので、家で静かに掃除とか残った仕事をして過ごす。

小さい同窓会に行きそこなうが、こりゃあ仕方ない。子連れだもの。しかしみんな変わらない。私はもしかして小学校のとき、とても恵まれていたんじゃないかな、と思った。こんなに変わらないで感じがよくて笑える人たちと毎日遊んで暮らしたなんて！　今でも電話で「あ、ハマ？」「お～、よしもと」「じゅんちゃん？」「あとでかける」（がしゃ）っていうのが成り立っている。「雪だよ」「じゃあやめとけ」とか。

午後、粉雪のなか、ちょっとマリーエレンの店に行く。ピンクのハートを買った。そこでは、きれいな人たちがかわいくピンク色の服で仕事していて、さわやかな笑顔で、とってもいい感じだった。石の問題にもとても理解があった。

かろうじて乳マッサージには行けた。お餅《もち》を食べたわりにはまあまあの状態だったので、よかった。そのあとはぐったりとなり、家で地味飯（ゆで豚とゆで大根とゆでじゃがいもとその汁で作ったスープ）を地味～に食べる。

乳も風前の灯だ……いつごろ卒業かな？　受けている途中で「飲んでくれなくなりました」という人からの電話がかかってきたりして、びっくりした。そんな悩みもあるのか。うちはずっとずっと飲みすぎるくらいに飲み、乳を作りすぎ続けた。なにごとも多い親子だ。

小説完成後の毎日ってリハビリのようだ。脳が腐っているのがよくわかる。昨日久しぶりにまとめて寝たので、ちょっと回復した。

1月18日

なにかをずっとがまんして、大変で、報われない……という話がおかしく思えるようになったのは、いつからだろう？　私はそういう話にちっともひきつけられなくなった。ただ悲しいなとは思えるし、否定はしない。それから、その日々がその人たちに刻んだ相のようなものにはとても興味がある。「プロジェクトX」が面白いのは、あれは基本的にうまくいった話だからだと思う。でも、ああいうがんばり方をして、うまくいかなかった話っていうのがいっぱいある。嫌いとかではなくて、どうもよく理解できない。目標のあるがまんはがまんじゃないけれど、ただしなくてはいけないがまんは、まだ必要なのだろうか？　好き好きかなあ……などということを本を読みつつ、じっくりと考えた。新興宗教はオーダーメイドじゃないから、特に目に見えないがまんを強いるけれど、それはほんとうに……なんていうかなあ、古い……と思う。でもこういう自分の思想の腰の弱さ、甘さ、ふがいなさ、へなちょこさはよく知っているつもりです。でもいい、まじめでこわくて真剣なのよりもいい。

パンケーキが好きなうちの子供、もう私が粉をといているだけで、机をばんばんたいて、はあはあ言っている。こういうのに負けて、好物を作るお母さんが誕生するんだなあ……手づかみでいっぱい食べたので、二枚も焼いた。

とても寒いので家でできることをして、夜は野方のおいしいカレーを食べにささっと出る。店の人が、私がここに書いたことで三組の人が店を探し当ててやってきたと言っていた。すごい！　あのぼかし方で？？？　でもおいしいから、それだけの苦労をしても行く価値があるかも。ヒントは野方警察の近くっていうことかしら。そんなに苦労させて悪かったですなあ、もっと詳しく書けばよかった。小さいお店だし、悪いかしら？ と思ったのです。

本日もすごくおいしかった。やっぱりキーマカレーを頼んでしまった私たちだった。そして赤ちゃんはもくもくとサラダの苺《いちご》を食べていた。

その苺にはおいしい岩塩とこしょうとドレッシングがかかっているのだが、口に入れると「うわ、しょっぱい！ すっぱい！ そして甘い」という顔を順番にしてくれるので、飽きなかった。

1月19日

なっつも私も全く同じように時間を微妙に間違え、赤ちゃんははっていたバンドエイドをむしってはがして血を出し、ペットシッターさんたちはあらわれず、なんだかむちゃくちゃ遅刻してダ・ヴィンチの取材にのぞんだ。

いつもながらきれいな人たちでばりばりと仕事もでき、さらにすごくちゃんと読んでくださっていて、頭が下がる思いだった（遅刻したからほめているんではないですよ）。取材の人たちがちゃんと感想を述べてくれるときが、編集の人の感想を聞く次の段階の「ああ、ほんとうに書いたんだ、あれを」と思える瞬間だ。今回は「王国その2」の取材でした。あんな地味な話なのに、しっかりと読み込んでくださっていた。しかしあんなにかわいくてかしこいのにさらに何かをがんばろうなんて、言っている。ほんとうに日本女性はすてきだわ……こんなことだとみんな外人にさらわれちゃうぞ！　なんて思った。あの人たちを独身でいさせているなんて、男たちはばかばか！

と言う私も厳密には独身ですがね。四十歳で子持ちの……。

夜はあのアイスホッケーのドラマをつい見てしまう。「スポーツ観戦、男尊女卑、グループ、お涙」など、私の個人的に嫌いな要素が絶妙に、みごとにみんな入ったドラマで、あまりのことについ見てしまうっていう感じ。でもあの脚本の人はそういう「いやだけどつい」っていうのが上手な人だから、そこはさすがだな、なんて感心して参考にしたりして。そして観《み》て突っ込みながらも晩御飯を食べていたのだが、赤ちゃんいすに座ったチビラがうんと首を曲げてにこにこしながら、パパとママに「ね～！」という仕草をわざとするのがかわいくて発狂しそうになった。

今日の晩御飯は買ってきた鯖鮨《さばずし》と野菜をいっぱい入れて作ったお味噌汁《みそしる》だった。

それから今日はハンサム運があったようで、鯖を売っていた若者がとってもかっこよかった。そして、長年使っていてついに割れたボダムのポットを買いに行ったら、なんと私の使っていた型はもうないとのこと。やむなくひとつ小さいのを買ったが、その説明をしてくれたボダムのえらい人がものすごくかっこいい人だった。ポットが小さいのしかないというのがショックで、つい「『オーデニング・アンド・レダ』のノートを扱ってくださりありがとうございます、作家寿命がのびました」と言い忘れた。みなさんも、一冊でも多く買いましょう。高いけど、すばらしいノートですううう！

でも、よく考えてみたら私はとりあえずハンサムさんに興味がないので、運が空《むな》しかった。

牛窪さんにばったり会う運、というのはつきていなくて、会えてうんと嬉しかった。昔から牛窪さんがどんなに転職していても、必ず道で会えるのだ！

1月20日

フラへ。心と体がばらばらっていう感じの日だったので、それが見事に踊りに反映しました。見物しにいっただけというか。そして人数が多かったのでなんとなく酸欠になってふにゃふにゃした。

陽子ちゃんにちょっとしたバイトを頼んだんだけれど、自分の弱みを見せるのがとってもとっても私は苦手なので、真剣に頼んでいるのにちっとも困ってるように見えない、というのが我ながら面白かった。これは、人に「大丈夫な人」と思われても仕方ないわね。

そして自由だけが命の陽子ちゃんなので、時間を割いて助けてくれると言ってくれたのがとってもありがたかった。

餅を食べようが、肉を食べようが、よくかみさえすれば全然乳腺炎《にゅうせんえん》にならなくなった、桶谷《おけたに》式マッサージの力に助けられている私の乳……！

しかし！　すごい敵を発見した。角煮だ。食べたら数分で乳がはってきて、まずい！　と思ったが、赤ちゃんがおそろしい勢いで全部飲んでしまい、ことなきをえて、乳もたれた。

たれ乳で「栞《しおり》と博のテーマ」を楽しく観た。

1月21日

小金井までヒューマンデザインシステムというもののチャートを読んでもらいに行

った。私は頭以外はスカスカで、自分ではエネルギーを生み出せず、人からまねかれないと何もはじまらない、人類に21パーセントしかいない「プロジェクター」というものらしかった。ヒロチンコはジェネレーター、チビラはマニフェスティング・ジェネレーター。いずれも人類の30パーセント以上を占め、自分でエネルギーを作り出せる。

親子三人はちゃんとおぎないあっているのも面白く、チビラといると私にもエネルギーが回るらしい。夫婦もそうだった。お互いにないものを持ち合っているので、まずはよしとしよう。そしてチビラは「まず食べないと何もはじまらない人生」だそうだ。冷蔵庫が空だと不安になるタイプだって。それもすごくよくわかる。こんなに食べてばっかりいる赤ちゃん、見たことないもん。今もまさに左手の上で寝ているが……。これほどに重いはずだよ。

いろいろ感想を言い合いつつ、阿佐ヶ谷「なかよし」に餃子《ぎょうざ》を食べに行く。三人プラス赤子で十一人前食べた。店の人は六人前頼んだ時点でちょっと大目かな、という顔をして「きっと四人前は確実にいけると思いますよ」と言って笑っていたが、最後はもう何も言ってくれなくなった。

1月22日

ももたさんに電話したら、朝は六時か七時に起きると言う。昼まで寝ると「時間がもったいないって思っちゃうの～」と言っている。きゅ～ん！ 早起きさんに弱い私。あと最近のももたさんの名言は「いいなあって思って手に取るものが、恋愛運のいいものみたい」だ。うらやましい。私みたいにいいなあと思って手に取るものが恋愛運の悪そうなものばかりというのもいかがなものだろう。風水的指導にしたがい、まりもを北にうつし、赤いろうそくを南に移したりしてみた。最近リングがハート型なのが、私の唯一《ゆいいつ》の救いかも。

英会話。先生の、キリスト教をさりげなく伝道しながらの上手な教え方に感動と納得をしながら、どんどん英語力が増していくといいたいけど、落ちていく私。脳がばかになってるのがよくわかる。やっぱり若さが語学には大切だ。きっと。

生き方をちゃんと限定して、そのなかで精一杯やっている先生なので、妙に懐《なつ》かしくてほっとする。現代は満足してない人が多すぎていらいら電波が飛びかっているからだ。よく外国の田舎の村に行くと「ここで一生過ごすけど、すごく楽しい、旅は行きたいです」みたいなおっとりにこにこした親切な人、余裕があって、だからこそしたいことをさりげなくがんばっている人にいっぱい会うけど、いつからそういう人が減ったんだろう。いつでも「今以上の自分」っていうのに追われる社会になってしまった感じ。

美人のおじょうさんも彼氏ができて中国に落ち着いているようで、先生もお正月はそっちに遊びに行ったそうだ。よかったよかった。

そのあとは丹治さんとチャカティカへ行って、田中さんの写真を見せてもらい、おいしいものをたくさん食べる。知れば知るほど田中さんはすてきだと思う。英会話の先生と同じで、根がしっかりしてる感じで、笑顔がぴかぴかしている。鍋《なべ》すごくうまし。特に最後のフォーがとってもおいしい。

そして丹治さんって、ほんとうのほんとうのほんとうに、人をサポートする仕事に向いているのだな、と思う。考えのすみずみが「観察、そして参加、そしてどうやったら助けられるか」でできている。そして「体験したい」といういきごみが感じとしては無色なのに、強いモチベーションになっているというのがすごく珍しい。ザ・名編集者だ。

ゆず茶も買って、風邪にそなえる。そして、やめちゃうというフクちゃんの笑顔を写真に撮る。人生は、出かけられなくても充分旅だ。だって、慣れ親しんだフクちゃんのすてきな福顔、もう会えないなんて、信じられない。

炭でたくタイのお香をもらった。楽しみ……。

1月23日

夜中の一時半に突然停電した。

チビラを風呂《ふろ》からあげて、服を着せているときのことだった。そしてブレーカーを見たら、落ちていない。このところ火事には敏感なヒロチンコが漏電を疑っているので、東京電力に電話したら電話でいろいろアドバイスしてくれて復旧したが、一箇所だけどうにもならない。するとなんと、夜中の二時に、人が来てくれたのだ。感激したし、とても頼もしかった。てきぱきしていて、技術があって、人助けをしてます！って感じの人だった。

最後にいろいろ親切に説明してくださり「よしもとさんって、エッセイを書いているよしもとさんですよね！」と言って去っていったが、はい、確かに、そうなんですが……あの～ほかにもメインの仕事が～……。

チビラが夜中の三時なのに、東京電力の人に「ばいば～い」と玄関で手を振ってるのに感激してしまった。どうして赤ちゃんってこんなにも自由に開かれているんだろう。

一箇所漏電していたが、それはコンロを掃除したときの水だったので、乾いたら直ってよかった。

無事電気がつき、暖房もついて眠ったのだが、朝になったらなぜかレンジのところの電気が切れていて、これまたブレーカーは上がったまま。こわいよう……。と思い、とりあえず東京電力の人が紹介してくれた電気屋さんに来てもらう。すごく脅して、すぐさまに。

すると、レンジは偶然（そのタイミングで偶然にって……ありえにゃい）、配線がぶちっと切れたのだろう、ということで、直してくれた。

おかげでたまたま遊びに来た大野さんは、赤ちゃんの面倒をみたり、ミカンをむいたり、途中で電気が切れたのでいまいちのできのスープを飲まさせられ、気の毒だったけど、赤ちゃんにとっては最高に幸せだったみたいで、もうずっと大野さんに夢中だった。

そしてさすがは数々のニューエイジの名著を訳した大野さん、ＵＦＯに乗った宇宙人のおもちゃで遊びながら「マナチンコはプレアデス人がいいかな〜？　それともオリオン？」などとマニアックなことを言っていました。

ふたりとも天使が気になっていて、今年は金を稼ぐぞ！　という目標まで一致していたので、楽しくなった。そして大野さんがすごくいいことを教えてくれた。「人生の目的のひとつはＪＯＹで、ＪＯＹは感情ではない、もうひとつ上のものだ」ということだ。わかる！　わかりすぎる！

夕方は桶谷式マッサージへ。

斉藤さんに「もう体が元に戻りたがってる」と言われた。そうです、乳が出ることは出るけど、癒着が大きくなっている。角煮のせいもあり……そこは素直に告白。「まあ、角煮！　おいしかった？」と驚かれた。ちゃんと脂《あぶら》のところはみんな取ったのに、こんなに影響するなんて、恐ろしいことだ。

私にも最近母乳の赤ちゃんとミルクの赤ちゃんの違いはわかるけれど、斉藤さんはセーターの上からでも、そのお母さんが母乳かどうかわかるそうだ。すごい！　そして道でもついついお母さんと赤ちゃんを見比べ「まあ、おっぱいが出そうなのに、ミルクをあげてもったいない！」と思ったりするそうだ。職業病……。

それにしても、赤ちゃんに関係するお母さんのエゴっていうのはものすごく強い状態になっていて、それは本能的なものなので、そういう人たちを相手にする仕事ってほんと～うに大変だと思う。報われにくく、頼られすぎて。斉藤さんなんてもう、あり方がみんなのお母さんっていう感じだ。

いずれにしても惜しみない技の提供に心からの感謝を感じた。関姉妹もそうだけれど、お産関係には名もない偉人が多すぎるくらいいる。

さて、夜TVを観ていたら、意味もなく急に、切ってあったステレオのスイッチがオンになり、ボリュームがぐんぐん上がりだした。こわ！と言いつつ、またスイッチを切り、しばらくしてまたオンになり、ボリュームが上がることが計三回も。

姉に電話して聞いてみたら、どうも電磁波らしい。これは困る。昨日の停電もこれかもしれないし、レンジも？

引越ししようかなあ。

姉の言うには、電磁波はトラック無線などのものが、近所の工事などで突然スポット的に入るようになって、さまざまな家電をこわすことがあるらしい。

とりあえずこれ以上続くようなら調べてもらおうと思った。電磁波の強いところに住むのはいやだし……。

もうひとつ考えられるのは自分が電磁波人間になったか、あとは霊か……。とりあえず考えないことにしようっと！

1月24日

ちらりと新年会へ行く。久しぶりのみなさんと赤ちゃん連れで会った。みなは私が赤ちゃん連れなのに驚いていたが、私はもう今の状態に慣れきっているので、その驚きが不思議な感じだった。

私のものすごいデジカメ「現場監督」のデジカメじゃないほうをさとみちゃんのだんなが現場で使っていると言っていた……。しかもやっぱり落としたらこわれますよってさわやかに微笑んでいた。ちぇっ。あの重さ、大きさ、遅さ……そして、なんと、こわれると？？？　おおう。

1月25日

もう今年はあきらめようと思っていた穴八幡《あなはちまん》だが、やっぱり行かないというのもね～と思い、はりきってでかけた。そしておまいりをして、焼きそばやきんかんを買ったりして案外エンジョイした。でも原さんの家には急だったので寄らず、ブックラブ回に行って、思う存分本を買った。ダスカロスの訳本の新刊も出ていたりして、収穫は大きかった。

夜は近所のお蕎麦《そば》屋さんで、そばが含まれた小さいコースを楽しく食べた。あまりにも寒いのでそうそうに帰り、ヒロチンコにプリンターの設定をまかせて、自分はチビラのおもちゃを整理した。新しいおもちゃも出してみた。さとみちゃんがくれた公文《く》式《もん》のおもちゃがすごくよくできていて、大人がはまってしまった。いつまでも釘《くぎ》を打ったり、鈴を鳴らしたりしている大人を赤ちゃんがつかまり立ちしながらじっと見ていた。

1月26日

慶子さんがおいしいプリンとサンドイッチを買ってきてくれたので、ももたさんの恋愛と風水の講座を聞きながら楽しく食べた。ももたさんちの近くの焼き菓子もおいしかった。

運をつかむことにがつがつしてももたさんの言うことをメモる私たち……なぜこん

なにもがつがつと？と思うくらいいっしょうけんめいだった。ももたさんは優しくいろいろ話してくれて、さらにひそかに爪《つめ》や手の手入れまでしていた。なんだかむだのない感じだわ。

夕方はそれにしたがって狂ったように風水に基づいた模様替えをした。「赤くて魚が描いてある焼き物」とか「石でできているが亀」とか「メタルのようだがプラスチックのロボット」とか「つがいの鳥だがガラスでできてる」とか「さらにつがいの男女の人形だが貝を持っていてメタルでできてる」とか「植物だが水の中にあり、水が循環しないまりも」だとか風水的にややこしいものが多すぎる我が家。しかし、そこをなんとか融通していったら、なんだかものすごくうまく模様替えできてしまった。あとはそうじさえきちんとすれば、運がどんどんやってくるはず……。楽しみだ。こんなに楽しかったことは久しぶりというくらいに無心にやった。

そして夜は赤ワインで煮たもも肉と、慶子さんが買ってきてくれたアンゼリカのおいしいみそパンを食べた。ちょっと焼くとすごくすごくおいしくて、ひとり二個食べた。赤ちゃんもそうとう食べた。

1月28日

午後はガーデンプレイスのかつ好に行って、ひれかつを食べる。そのあとはオクラでビリケンさんの焼き物を買う。慶子さんにも買う。これは、昨日もたくさんにすすめられた開運グッズであった……単純。

タクシーの運転手さんに「そこの多分警察があるところを曲がってください……」と言ったら、「警察じゃないでしょ、交番でしょ、交番！」と言われたので、すごくむかっときて「はい！　交番ですね！」と言ったら、黙った。どうして赤ん坊連れてるのにそういうこと言うんだろうな。そして子連れの母はそういうときに瞬時に怒りがマックスになるから、面白い。本能だろう。命をかけて子を守るようにすごく敏感になっているのだろう。そして運転手さんはちょっと信号で引っかかると舌打ちしたりして、ストレスの大きそうな人生だった。人ごとながら大変そうだ。こういうときいつでも、たいてい（もちろんとんでもない人もいたけど）は話し好きで人好きだった昔のタクシーの運転手さんが懐かしくなる。

そして夕方フラに行く。フラはみんなやっぱりきれいで平和だった。忙しい踊りでふらふらになって、帰りはスターバックスで慶子さんと陽子ちゃんと恋の話などをしあう。

1月29日

東京電力のクマガイさんがさっそうと電磁波と漏電を調べにやってきた。でんこちゃんのタオルをいただいた。

電磁波は異常なし……いいもん、きっとあの日だけそうだったんだもん! こわくないもん! でも、おかげで電子レンジ並みの電磁波を出しているのがラジカセだったというすごい事実を知った。外の電柱についてるあの、いかにも体に悪そうな箱よりも!

人の命を守ることに直結している仕事の人はかっこいいです。

午後は代官山に石を買いに行き(もちろん風水のために……)、そのあとロルフィングに行く。腕のおかしいのを調整してもらった。

平井堅のラジオで「徹子の部屋」に出た人、というテーマで募集をかけていたので、私しかいないだろう、と思って早速メールを出したら、なんと電話がかかってきていた。まさかすぐにかかってこないと思ったので、事務所の電話番号を書いてしまい出損ねたけれど、嬉《うれ》しかったわ〜。そして、惜しかったわ！

また声をかけてほしいなあ……。

1月30日

結子の家に相談に行く。

ハワイとか、イタリアとか、大きな仕事での海外出張が多いからだ。ベビーシッターは相変わらず見つからないようだし。そりゃそうだろうな、この動物の館だからなあ。

いろいろ聞いて、かなり元気な気持ちになった。特にローマでの大仕事と、そのあと友達とトスカーナに行くのはよさそうだ。活気ある五月に向けてがんばろう。

チビラが朝、ひとりですっくと立っていたのでびっくりした。もうこれは、歩く日も遠くないと思う。赤ちゃんが一年でどれだけ成長するかを思うと、身がひきしまる思いがする。私も成長していきたい。

マーちゃんはしきりにあやまっていたが、朝日新聞の増刊みたいなのにとんでもない記事が載っていてびっくらこいた。しかも私の小説から勝手に意図を曲げて引用までてくさる。まあ、こういうのがないと伝記は面白くないから仕方ないし人ごとだから別にいいけど、この記者の人、会ったこともないのにいきなりすげえ質問をメールで送りつけてきてこれまたびっくらこいたので断わった……だって面識も前振りもなにもなく「短いあいだ、恋愛関係にあったとお聞きしました。恋が終わってもつきあいを続けられると言うのは、石原さんは編集者として、他の編集者には代えがたい魅力があるのだろうと推測しています。どんな魅力といったらいいでしょうか。」なんて書いてあるんだもん。なんだこれは。質問じゃなくてもう誘導じゃん。答えなくても答え決まってるじゃん。

だいたい、俺はおめーのダチじゃねえっつーの！

それに短いってなんだよ、三年も同棲《どうせい》したのを短いっていうのかしら。調べてないし……それに……担当編集者は十人以上いて、基本的に異動とかトラブルがないかぎり、ずっと同じ人とおつきあいし続けています。私は。竹井さんでさえもう十五年のおつきあいです。

まあ、マーちゃんが優秀ですてきだからしかたないってことで。今は最高の奥さんがいますし！

夜は地味に焼きりんごと豚なんかを食べていたら、チビラがりんごをいっぱいいっぱい食べたので、驚いた。生だとさほど好きじゃないのに、火を通したら好きだったようだ。

1月31日

やっとイタリアから帰ってきた琥珀《こはく》のネックレスをアンリの店にとりに行き、宮内さんの気の毒なインフルエンザの話を聞き、岡本太郎記念館に行き、内藤正敏さんが新しくプリントしたすごい写真の数々を見る。

岡本太郎さんは、ものを見る目が全く普通の人とは違っていたんだな、と写真を見てますますはっきりと思った。違うようにあろうとしたのではなく、違っていたという感じだった。そして、そこにあるのは「違うことの孤独」だった。すごく興味深かった。

チビラをあずけてきたのでかけ足だったけれど、見てよかった。

孤独は口に出して言えるうちはほんものじゃないんだというふうにも思った。

敏子さんが案内してくださった。敏子さんも、絶対口には出さないことのほうで体と魂のほとんどができている人だから、ほんとうに彼らは同志だったんだな、と思う。

「何十年もつれ添った仲良し夫婦」みたいな甘さがひとかけらもないところがすばらしい。なんとなくいつでもきりっとしていて、ぴりっとしていて、そのなかでこそ心からくつろげる人たちだったのだろう。

紅白の一青《ひとと》さんが着ていた服が展示してあった。観《み》たとき、なんか気になると思ったら実は太郎さんの絵がどばっと描いてあったのですね。もっと観たかったなあ！

2月2日

午後いちばんで髙島屋に行って、苦しくなるまで小龍包《しょうろんぽう》を食べる。そしてやっぱり小さいデジカメも買う……。商品券で。カメラのきむらのおじさんがとても優しく説明してくれた。電池もくれた。「現場監督」は海への旅で使おう……。

夜は実家に行く。母が転んで足の骨にひびがはいったらしく、ぱんぱんに腫《は》れていた。

みんなで「その上を歩行器が通ったら！」なんて想像して痛がりながら、そばを食べた。

母は熱もあるし痛いのに、孫で癒《いや》されていた。そして「この子は普通の子よりもかわいいと思う」とか真顔で言っていた。プフ〜！　全《すべ》てのババーが通る道を、彼女もまた……。

帰りにチビラはみんなにバイバイ！と言われても、淋しくてしょんぼりして手も振らずにいたのに、車の中でもう家が見えなくなってから、小さく何回も「バイバイ」と手を振っていて、きゅ〜んとなった。

2月3日

フラ。なにも食べずに行ったらふらふらだった。カツサンド二個じゃ、もたなかったわ……。でも体重はしっかり産前の58キロに戻っている。なにか悪い魔法としか思えない。

数ヶ月に一度「この学校、このままではいけないわ！」と多分思うらしいサンディー先生が、ビデオでみなの踊りを撮ってみましょう、とおっしゃったので、ビデオ撮り。「そう思いたくなる気持ちもわかるよ」という感じのものすごい再生タイムだったが、みんな思わずげらげら笑ってしまい、楽しかった。それにしても私、このうえなくまじめにとりくんでいるのに、なんでふざけているようにしか見えないんだろうか……これはもう、魂の問題だわ！

それにしてもみなさんかわいいしまじめだし、先生も果てしなくすてきだし、ああ、男になってここにまぎれこみたい！　とまたも思いました。

2月4日

陽子ちゃんに赤ちゃんをあずけて、たまっていたありとあらゆる買い物をしに走る。

そして車酔いして帰ってくるが、全てやりとげてすがすがしい。

チビラは陽子ちゃんにぽわ〜んとなっていたので、全然悲しくなかったようだ。むしろ陽子ちゃんが帰ってからが悲しそうだった。

私（もちろん冗談）「陽子ちゃん、もしもマナチンコが『お医者さんごっこしよう』って言ったら断ってねえ、一応！」

陽子（笑顔）「そういえば、パリでベビーシッターしたとき、五歳の男の子にカウボーイごっこしようってぐるぐる巻きにされたことがあるわ〜。その子トイレもけっこうじっとのぞいていたなあ」

これまでそうとうなことを聞いてみても「ああ、それやったことあるわ」と答える陽子ちゃんに、果たして経験したことがないことがあるのだろうか……。奥深し！

2月5日

ベイリーさんにうなぎをごちそうになる。お、おいしかった。久々の本格的外食。まあ、してはいるんだけれど、いつもいろいろな事情のもとにしているから。チビラはまだ若いのに（若すぎる）、老舗《しにせ》でうなぎを食べたりしていて、いちごも食べて、なんともうらやましい。ベイリーさんも久しぶりにお会いしたので、ただ懐《なつ》かしがっているあいだに時が過ぎていった。食事中に奥さんとメールでかわいらしくやりとりしていて、おかしかった。スイスみやげのものすごくスイスらしいリネンタオルをいただいた。だって牛とかエーデルワイスとか雪山とか犬が描いてあるんですもの！　かわいい……。

実家ではいろいろ大変なことが起きていて、なんだかんだとまわりじゅう病院行きの今日この頃。入院者続出だ。毎年今頃はいろいろあるが、去年もお産なのに家族全員入院してたなあ……。お見舞いに行って、せまい病室に全員集う。がんちゃんまでいた。

まあ、人生はこういうものです。何もないときのほうが、珍しいもの。

これは自分に言い聞かせているのでもなく、自然にそう思う。何もないときを幸せと思えないほうが不思議だというくらいに、実は人生はいろいろあるものだ。これは、自分のことばっかり考えていると決してわからない。わからないかわりに人生の幅はむちゃくちゃせまくなる。痛さとすばらしさはとりかえっこできる分量にできているものなのでしょう。

それにしても赤ちゃんの「にこ〜！」というエネルギーだけで、誰もがものすごく救われるのに本人はがんばっているわけではない。これってすごいことだ。赤ちゃんにできるならある程度大人にもできるだろう、そういう人間であろうと、無理せずにこころがけたいわ〜。

親のことをどんなに愛していても、それは人の人生だ。そして多分充実した人生……だから、子供はただ見守るしかないし、いつまでも見上げるしかない。

今、いちばん痛いのはラブ子の病気だ。まあ、もう12歳だもんね。ラブ子がいつどうなってもいいように覚悟はしているけれど、いざ病気となると、ショックを受ける。動物を飼うことの幸せな甘さと、それに比例したつらさ。これればかりは、くりかえしてもある意味、慣れることはない。

ラブ子の残りの犬生を、なるべくいっしょにいてあげようと思う。これまたそれしかできることがない。別々の旅なのですね。

そしてチビラは「白い巨塔」を毎週とっても熱心に観ているが、いったいどこにひきつけられているのだろう……やっぱし音楽か？

2月6日

打ち合わせ。

山西くんが、夢みたいな、泣けちゃうようなかわいいものたちをいっぱい描いてきてくれていた。この話には彼しかいない！　っていう感じにぴったりだった。私もずっとああいう架空の人たち？　に癒されて育ってきたので、すごくじんときた。あと山西くんの「やるといったらやる」という性格もとても頼もしい。あらゆる意味で、私にも贈り物という感じで、とっても楽しみな本だ。そして私の小説の中でも、ただ理屈もなく「好きです」と言えて、人にも普通にすすめられるという珍しい作品となった。親の心で書いたからかな〜。これからはこういうのを書いていきたいなあ。

平尾さんと大久保さんの会話、最高。どうやったらあんなに面白くなれるのだろうと思うくらいに、面白い。

文春のみなさんがチビラの誕生日にとすごくかわいい消防車をプレゼントしてくれた。そして森くんが「ヒロチンコにとっても必要だと」と言っていた。そう、火事には消防車よね……。山西くんもオバQの目覚ましをオークションでわざわざせりおとしてまで、くれた。これは私がもらった。Qちゃんの声の前に犬の鳴き声が入っていて、鳴ると大騒ぎになり、まじで目覚めそうだ。

マッサージに行ったら、まだまだ乳は出そうな感じ。私はいったいどういう体をしているのでしょう？　と思いつつ、夜とぐずったときだけ授乳にはりきっていこうと思う。断乳すると三キロ太るという、ある意味ではあたりまえだが、とても恐ろしい話を聞いた。どきどきどき！

2月8日

今日で一年だ……。

今頃はまだ「いてててて」と言っていたなあ、と思いつつ、目覚める。昨日の夜中の十二時にも「おめでとう！」と赤ちゃんに言った。きょとんとしていた。

昼はまったりと遊んであげたり、なんだかんだと執筆したりして去年とは違う感じで穏やかに過ごした。一歳か〜。

なっつがもうぜんとロールキャベツを作ってきてくれて、ヒロチンコが帰ってきたので、実家へ向かう。

父がちょっとだけ入院しているので、途中で見舞いに寄る。もういきなり赤ちゃんにくぎづけ。他の人たちは見えていないって感じ。ほんとうに産んでおいてよかったと思う。これほどまでに人が喜ぶことってあるだろうか。

実家ではこれまた入院寸前の大けがをしている母をなぐさめる赤ちゃん、赤ちゃんの仕事だが、大変だ〜。

そして慶子さんとハルタさんがやってきて、ささやかなお祝いの会。

姉「今日は忙しくてほとんどなにも作れなかった……」

しかしテーブルの上には異様な量のパエリヤだとか煮物だとかが……彼女の感覚はどういうふうに設定されているのだろう。そこになっつのおいしいロールキャベツが加わって、かなり豪華だった。赤ちゃんはなっつにつきっきりでロールキャベツを食べさせてもらっていた。そしてかわいい服をもらったりして、ごきげんさんだった。

そこへ原さんが巨大な蜂《はち》の乗り物のおもちゃを持って、さっそうと登場した。

なんとなく病人が多くてしょんぼりムードだったので、気持ちがみんな華やいで、母も長男（?……だって、そういう感じなんだもん）が来たので、元気になった。

去年の今頃は、一日半なにも食べていなかった私はがつがつと豚まんを食べていたが、とても幸せだった。今年は無事に一歳になったことでもっと幸せだ。無事であってくれるだけで、なにもいらない。子供はすごいと思う。

みんなでたった一本のろうそくをともしたケーキを食べて、しみじみとした。

2月9日

あの高い「あら皮」へ、たまったポイントでごはんを食べに行く。

うめ〜！　肉最高！　もう肉以外なにもいらないというくらいだった。

ものすごい接待の予約電話がたくさんかかってきていて、聞いているだけでおそろしかった。

赤ちゃんにも一口あげた。うらやまし、この赤ん坊時代。

そして松屋で柳宗理《やなぎむねみち》の鍋《なべ》を買って、夜は地味にスープとパンのみ。でも黒ぱんやさんのとてもおいしくて味があるパンだったので、すごく幸せだった。

父が病院で寝てばかりいてぼけるといかんと思って電話したら、「君の小説は誰もほめてくれないけれど、このままで進め」と遺言みたいなことを言っている。いや、そこまでほめられてないわけでも……。それに、まだまだ生きてもらう予定なので、そんなこと言わないで！　と答えつつ、「赤ちゃんもいい子に育ってるから大丈夫だろう」と言われてじんとする。

親が年を取って身動きできなくなると、切なく思い出すのは結局子供時代のことばっかりだ。そして小説も突き詰めてどんどん書いていくと、その源は全て子供時代の感覚にある。子供時代に感じたことや、見たこと、驚いたこと、世界をとらえていたまなざし……そういうのが全てなのだ。奈良くんやマヤちゃんの言うとおりだ。

そう思うと、今、すごい責任と楽しさを感じる。今まさに、マナチンコの一生のもとになる源の感覚を毎日作っているのだなあ、と思う。もちろん友達と過ごした思い出も大きい、でもそれも全て親きょうだいとの生活が基礎にあってのことだ。

2月10日

フラ。先生のビデオ責めはまだまだ続いていた……。

私は「どうしてこの人たちがひとつのチームに？」と誰もが思うような面白チームで「カイマナヒラ」を踊ることになったが、さっぱり覚えていない。きっと体が覚えているわ……と思ったら、覚えていない。すごいことだ！　悪い意味で！

「はじめはしゃべっていて急に踊りだすんじゃ？」「はじめに『カイマナヒラー！』とか『ワイキキ〜！』とか言うんだよね？」とかどうでもいいことばかりきっちりとうちあわせて踊った。先生はげらげら笑ってちょっとだけ楽しそうになったのでよかったというかなんというか。そして自分をビデオで観《み》て「私って、ここにいていいのかしら？」としみじみ思った。来週は自主練することにして結束を固めた。

クリ先生がひざをいためていて、大変そうだった。その場でみんな泣いてしまったと言っていたが、わかります……。だって、あのきれいな足が！

2月11日

「徹子の部屋」のうちあわせ……。休日だというのに、みなさんご苦労様でした。なので、いい回になるようにがんばろうっと。それにしてもウェスティンのラウンジはむちゃくちゃに混んでいた。そしてなんだかものすごい華麗な人たちが、ものすごく高そうなものを売ろうとしてすごい商談をしていて、見入ってしまった。都会だ！　松家さんとカレー屋さんについていろいろ話もできたし、よかった。松家さんはなんでも知っていて頼もしい……。前に「下痢《げり》したときは紅茶を飲むといいです」というのも教えてくれたし。

夜は野ばらちゃんの新作を読む。

いろいろ気持ちがわかるところがあり、偏《かたよ》り方も世代的なものなのかもしれないけれど、すごく理解できる。それから、私も同じポイントで「軽い」と言われ続けてきたが、本人たちは必死！　そして苦肉の策としての軽さなのだから、いいのだと言いたい。

小説というものにかける執念が多少減ってきているのが切なかったが、彼は生きれば生きるほど書かざるをえない人、見守って応援していこうと思う。

しかし年とともにしっかりとエロおやじになって……見た目は王子様なのにい！

若いおじょうさんとのメールのやりとりのところでは声をあげて笑ってしまった。

やっぱり彼は関西人！

2月12日

ラブ子はとお〜い病院へ検査に行く。絶食がつらそうで、何回も「あの……まだごはんをいただいてませんが？」と言いにきてかわいかった。人間と違って「こういうわけで、絶食です」って言ってもわかんないものね。だからこそつらい処置をする医療はしない方針。

ブレーカーの配線の工事にクマガイさんが来てくださった。念のためにつなぎかえたほうがいいところがあることがわかったからだ。電気のことならなんでもしっかりと責任を取るというそのかまえ！　ほんとうにありがたい。彼の存在で東京電力に対する好感度がものすごくアップした。

そして工事がはじまって電気が止まって、意外にたいへんだったことがわかり、三時間暖房もなくガスも使えず暗くパソコンもバッテリーが切れて、ついにやることがなくなり、陽子ちゃんとまったりと工事の終わるのを待った……このところあまりにもばたばたしていたので、不思議な安らぎの時をプレゼントされた感じ。寒かったけど、でも、仕事しようがないので、読書なんかしたりして。

それでその時間に芥川《あくたがわ》賞の人たちの小説をまとめて読んだりして。

感想は、綿矢さんのほうは「この人は、自分の中に芽生えた中途半端なわけのわからない感情を、まだ、なにか理由のあるものとしてまとめようとしているし、どうも罪悪感のようなものもあるようだけれど、そういうことはふっきって、なるべく異常なくらいにこまか〜くねちねちとそういうものをじっくり書いていってほしいな〜」だった。

そして金原《かねはら》さんのほうは「まさにザ・文学！　文学の王道！　だ。なんだか若い頃のあのどん底気分が懐《なつ》かしい気さえした。そしてああいうこわい男の人は暴力のあとには急にむちゃくちゃ優しくなるものだが、そこの切り替えの描写をもっとねっとりと書いてほしいなあ」と思った。

家中の電気がついた瞬間はもう拍手！　っていう感じだった。文明バンザイ！

クマガイさんは今日もさっそうと去っていった。町の用心棒みたい……。

そして、コートニーの新作もさっき聴いた。もはや彼女の人生は彼女のドラマのためにだけある……っていう感じだ。ハリウッドさえも、彼女の人生ドラマの彼女が好きなあの気分「自分は最高に孤独でだからこそ最高に輝いている」の前ではちっぽけだった。すげ〜！　音楽的にもすばらしいと思いましたし、歌詞はいっそうすばらしい……。

ちほちゃんに「病人だらけだよ～」とぐちメールを出したら、なんだかすばらしい返事が来た。あまりにもすばらしかったので、特別企画にアップすることにしました(314ページを参照)。彼女は「神様のタイミングで生きている」という感じがする数少ない人のひとりだ。

2月14日

バレンタインデーだが、「情熱大陸」のモヨコさんの回のコメント撮り。

なんとカメラマンは昔会ったことのあるマツイくんだった。大人になっていてびっくりした。しっかりしたな～、人はちゃんといい素材を持っていれば花開くんだなって感動しちゃった。

それにしても「情熱大陸」はいつでもなんだか大変そうだ。創《つく》るほうも。

夜はこのご時世なのにハンバーグを焼きました。ソースは、肉汁にバターとだししょうゆを入れたら、とてもおいしかった。ソースとごはんを和《あ》えたものだけを赤ちゃんは喜んで食べていた。経済的～。

そして森茉莉《もりまり》の料理本を読んで、変わった食べ物の多さに驚く。でも、妙に楽しそうな感じがした。ほんものだなあ……（何の？）。

「夢見ることが私の人生」っていう言葉は、すばらしいと思った。下北のカフェに書かれた色紙の言葉だ。

「私は何か書く時、傲慢《ごうまん》にみえてもいいと思つて、書いてゐる。憎まれてもいいと思つて、書いてゐる（最初の書きはじめは無意識だつた。無意識に傲慢だつたのである。）何故なら文章のたちで、しをらしく書くとバラバラに崩れて、全く駄目になるからである。私はだから憎まれても平気である。ほんたうは平気ではないのだが、書いて行くためには平気でなくてはならないのである。」（阪急コミュニケーションズ刊『森茉莉　贅沢《ぜいたく》貧乏暮らし』より）

自分の発言としか思えない。

いずれにしても多少は違うけれど、同じ種類の人間だと思うので、頼もしかった、その人生が。お父さんの質といい。

彼女の小説を読むといつも悪酔いしたようになってしまうが、背景をふまえてもう一回トライしてみようと思った。

父にお見舞いの電話をしたら「ちょうどよかった、今、お尻を丸出しにしていたところだよ」と言っていたが、それはちょうどよくないのでは、と思ってすぐに切った。

2月15日

小川洋子さんのすばらしい本「博士の愛した数式」をやっと読むことができた。忙しくて読書は全部細切れなんだもの。

でも、読んだ！　すばらしかった。泣かせないように意地でも感動をさそわなく書いているのがすごくすごく感動的だったし、博士がルートくんのためにいろいろ無理をするところ、かけねない愛情の描写には涙が止まらなかった。

これは熟女にしか書けないね！　ああ、小川さんの乾いたギャグがなつかしいなあ！

昔はよく顔を合わせたものでした。同じ「海燕《かいえん》学校」（？）出身だから！

そう、主人公の性格がなにものにも深く立ち入らないというものであるために、主観的な世界での事件がなにも起こらない、っていうの、ほんとうにすごい手法だと思った。ここでついなにか起こらせたくなったり、もっと詮索《せんさく》したり、自分の感情ももっと深く考え込ませようとしてしまったりするのが、作家というもの。それをすべてクリアして、主人公たちに愛を注ぎ続けたささやかな幸せの物語だった。読んだあと、とってもいい気分だった。

波照間《はてるま》のよしみさんから送られてきた人参《にんじん》と、もちきび。あけてみたらすごいいい匂《にお》いがした。洗ってみたら土が粘土みたいなのに乾いていない、すごくいい土だった。こういうのをほんとうに土がついてる野菜っていうんだなあ、と思いつつ、様々な調理法でばくばく食べる。

父に「からくりテレビがはじまるよ」という電話をしたら、すごくしっかりした声で出てきたし「どうもありがとうな〜！」なんて言っている。あまりにも声の力が違ったのでわけを聞いてみると、やっと絶食が終わり、多少ごはんを食べていいようになったそうだ。やっぱり食べないと力が出ないんだ、人って！　と感動するくらいの違いだった。

2月16日

「徹子の部屋」の収録。

またもかっこいい児玉清さんにばったり。「王国」を出すたびに彼に会えるとなると、あと四回は会えるのかしら〜！

徹子さんはとてもきれいで、若くて、肌がつやっとしていて、エネルギーにあふれていた。手もとってもきれい。そして身のこなしがすばやくて運動神経よさそう……前はそれどころではなかったのであまり気づかなかったそういうことに気づいた。そしてハイビジョンになって造花だとすぐにわかってしまうので、セットのお花はみんな生花だそうだ。そんなことが！

収録中、ふと顔をあげるといつでも松家さんがにこにこしていて嬉《うれ》しかった。いつもの自分が出せないということはあっても、あがるということがあんまりなくなってしまったおばさんじみた私だった。

私のあとの収録が大山のぶ代さんで、バカラのドラえもんを見ようと思ってじっくりと待ってみたが、あまりにものものしくやってきて包まれていたので見ることができず、残念！

使い果たしてエネルギーがなくなったので外食と思い高島屋の「文琳《ぶんりん》」に行ったが、今回はなんだか店の人々がとりちらかっていて、高いコースにしたのにばたばたと追い立てられて帰るはめになった。やっぱりデパート、出せる金額の限界を決めておこうと思いました。

続きが読みたい！と騒いでいたら陽子ちゃんが買ってきてくれた「天才ファミリ

ー・カンパニー」の最後のあたりをやっと読んですっきりする。出てくる人がみんなかわいくて、荒唐無稽《こうとうむけい》なのに楽しく読んだ。もっと長くてもよかったっていうくらいだ。

2月17日

一日中、洗濯機の修理問題。

電話して「最短でも三日後にしか行けない」と言われて、はいそうですかと言える世間の人のことが、絶対に信じられない。

だって、新品と交換して、三ヶ月だよ？

これがもう五年以上使ったという場合や、雨ざらしにして一日十回まわしていました、というのならもちろんあきらめますし、もしも病犬や子供がいなかったら、さらにたとえば「乾燥だけできない」というのならなんとかもたせますよ。でも、排水ができなくて、洗濯機の中には今なお濡れた洗濯物と汚れた水が入ってるんですよ……しかも向こうの都合で新品に交換してから三ヶ月しかたってないんですよ？

この状況は、先方も忙しいだ予約だ順番だとごねていないで、融通するべきだろう……。

でもまるで役所のようにみなが責任をなすりつけあい、ものすごく苦労して何回も電話して、やっと上の人がでてきた。そしてそこでものすごくごねたら、修理の人がすぐに来てくれて、排水できた。

こういうときには、このあいだ来てくれた東京電力のクマガイさんのプロ意識を思い出してしまう。安全第一、だれも電気のことで苦しんでほしくないという気持ちを第一にさっそうとしていたのだ。

誇りが感じられないのがいちばんいやだ。クレームで急に動かなくてはならなくなったせいか、修理の人もはれものにさわるようで決定的なことをひとつも言わない。そして電話に出てくる人みんなが、誰も責任を取りたがらない。

自社の製品が、ある家でしょっちゅうこわれている、そのことがまずいちばんに考えるべきことではないだろうか。犬の毛が悪い、と全員が言い訳していたが、十匹飼っているわけではないのだ。そのくらいでしょっちゅうこわれていていいのだろうか。14万円した洗濯機が、一年に一回こわれて、毎回修理に一万円かかり、修理の人が来るまで毎回四日間も待つなんて、根本が変だ。

そんなに忙しいなら、修理の人を増やせばいいじゃないか。
「プロジェクトX」がこんなに人気あるのに、なんで現実には反映されないんだろう。
のらりくらりされるのがいちばん苦手な私なので、最後までつい戦ってしまった。
だって、あきらめたら泣き寝入りがずっと続いちゃうし。それなのに14万円だし。
いくらだったら許せるだろうと考えてみたが……。8万円くらいかなあ。でも三ヶ月
でこわれたら、やっぱり怒りたくなるな。
とりあえず言えることは「サン・・」の、とても有名な、CMでがんがんやってい
たふたがあく洗濯乾燥機は、動物がいる家には不向きであるということと、修理には
そう簡単には来てもらえないということだ。
夕方からはフラへ。
自主練をするチームかけはし(しかしリーダーは孫が生まれるということで不在!
あんな若いばあちゃんがいていいのか!?)の私たち……それをあたたかくやさしく、
バカだなあ……という感じで見守ってくださったみなさま。
でも、ビデオ撮りはなかった。ほっ。
今日もだいたいぽかんと口をあけて、美しいインストラクターのおねえさんたちに
見とれ、クリ先生の痛そうな足が治るようにお祈りしただけで、過ぎていった。

でも産後一年たったら、いためた股関節《こかんせつ》が突然に治ってきたので、腰を動かしても大丈夫になってきて、嬉しい。やっとフラをはじめられるような気分だ。はじめの一年はど下手、次の一年は妊娠、今年は股関節が治ってないという、思えばゆるすぎるフラ人生だった……。これからもゆるいに違いないが、少なくとも肉体的ハンディは減った。

そしてさとったのは「タイプの違う美しさがそこここにいっぱいあるのって、ほんとうにすばらしいな〜」だ。しみじみとそう思っていたら、これまた美しいサンディー先生も全く同じことをおっしゃっていて、嬉しかった。

帰りに慶子さんと陽子さんがいっしょにいたので、父にも華やかさを！　と思い病院に電話したら、さんざんそのふたりとしゃべったあとで「いや〜、今日はフランちゃん（父の最愛の猫）も電話口に出てきたし、珍しい人といっぱいしゃべった日だった」と言っていた。……そのふたり、猫と同等？

2月18日

英会話。先生はいつでもばら色のほっぺたをしていて、美人。

そしてきびしく優しく教えてくれた……さっぱり単語が覚えられない自分の頭がうたがわしいが、とにかく続けている。

夜は健ちゃんと「はやし」に行った。

揚げ物に命をささげている私、あまりにもおいしかったので、話を中断しながらふたりともにこにこ、さくさくと食べた。

なにもかもがあまりにもおいしく、揚げたてで、夢のようだったのだ。

衣がふわっとしていて、甘くて、素材は生で食べることができるものばっかりだった。

すると最後のほうでおかみさんが出てきて、私に微笑《ほほえ》みながら「あなたはほんとうに天ぷらが好きね、食べ方でわかります」と言い出した。ご主人も「食べっぷりでわかるよ！　普通ご婦人には、アナゴはしっぽのほうをお出しするんだけれど、あなたには大きいところを出しましたよ」とか「揚げたてをふたりともテンポよく食べてくれて、嬉しかった、天ぷらを食べずにしゃべっている人を見ると、悲しくなって揚げるのがいやになってしまう」とおっしゃっていた。「今日は気持ちよく食べてくれて、嬉しかった、ほんとうにあなたは天ぷらが好きだ、見ればわかる！」

すごく嬉しかったが、すご〜く恥ずかしかった。

おいしいと言いすぎるとうるさいと思い、なるべく黙って食べていたのに……顔で……わかってしまうなんて……。

でも好きだから、いいのだ。

ごはんもおかわりして、満腹で井口くんの店に行ったら、ビルごとなくなっていた。困ったな〜と言いあっていたら、近所のばあさんがいろいろ教えてくれたので、お礼にそのばあさんのものすごい店でいっぱいだけ飲む。ほこり、汚れ、個人の荷物、せきこむババア。ううむ。出てきた貝はあまりにもリスキーだったので、一個だけ食べた。

人生って、ジェットコースター、そして旅だわ〜……。

消毒？と言い合いながら、三笠《みかさ》会館でもう一杯酒を飲んで、健ちゃんに家に寄ってもらい、ラブのお見舞いをしてもらう。ラブは健ちゃんが大好き、健ちゃんもラブが大好き。でも、あと何回会えるかわからないんだな、と思うと、ちょっとじんとした。

2月19日

レバナさんにお礼まいりのオーラリーディングをお願いする。オーラのいろいろな色がきれいで面白かった。それに何層かでパターンになっているのも興味深い。

今のいらいらともがきをしっかりと指摘され、本気で変わると約束した。このあいだ結子にも約束したことと全く同じだった。もう変わるしかない！　もうコントロールしたりされたりする世界とは永遠におさらばだ！　今回は子供の人生とか犬の残り少ない犬生がかかってるので、本気。

前に会ったときは子供のことしか見てもらわなかったので、自分のオーラを見てもらえて楽しかった。まさにツーソンのミネラルフェア帰りっていう感じで、すごくいっぱい指輪をしていたレバナさん……あんなにすごい人なのに、そういうところはなんだかかわいい感じだ。

お昼のためにパンをいっぱい買って帰り、みんなで食べてからお見舞いと実家へ。

父は孫で元気づけられていた。あと、持って行った韓国海苔《のり》で！　やっとそういうものを食べてよくなったみたいで、あと一息だ。

健ちゃんから送られてきた紅白のもちを子供に背負わせるという有名な儀式をやった。案外しっかり背負っていて、重いという感じも見せていないので、おかしかった。

健康に育ち、親からあまり離れていかないよう……という願いをこめた儀式らしいが、彼は絶対に離れていくだろう。だって、なんとなく私よりも大人だもん。生き様が。もうパスポート持ってるし。

それからもうぜんと雑煮とから揚げを食べて、帰宅。

2月20日

洗濯機の会社の人から電話がかかってきて、14万円で洗濯機をひきとってくれるから、他の会社の、もっとお宅様に適した機種を買ってくださいってお願いされた。なんだか…………。この中間の世界はないのかしら？「自社の適した機種ととりかえる」（この場合は毛玉とりがついてるのがないから、ないそうだ……）とか、「これからはこういうことがないように開発するようがんばる」とか、「修理の人員を増やして、修理内容によってはすぐかけつけるように改善する」とか……。どれもできることという気がしてならないのだが。金の力ではなく、個人の力で。

以上の意見を述べたあとで、とりあえずいいです、と一応断わってみた。

だって、お金がほしいわけじゃないもん。長持ちする洗濯機がほしいんだもん。こういう家庭に適さないなら、そういうふうに宣伝のときに言ってほしいだけだもん。

ここしばらくのあまりのストレスに、乳の質がよくない。もしかしてもうすぐ断乳かもしれない……母乳相談室の斉藤さんと相談して、これからの予定を決める。相談できる人がいてよかったと思う。

そしてそんなことはおかまいなしに、乳もミルクもめしもおかずも野菜もなんでもかんでも食べているチビラくんだった。

ラブ子の検査の結果は、覚悟を決めるのに充分悪かった。

あとはどういう方針にするかで、半日、脳みそが割れるほど考えた。

そして私は「自分だったとしたら、車が大嫌いなのにすごいきつい検査と放射線のためにしょっちゅう藤沢に通うのはいやだな」と思ったので、先生と少し話してみたが、放射線は大学病院でないと、なかなかむつかしいようだ。

近所の赤ひげ的名医に相談したら、末期医療はいつでもできるかぎりのことをすると強く約束してくれたし、民間療法の薬も山ほどとりよせてくれると言うので、頼もしく思う。

なにもかもが人間と同じすぎるな〜。

最後の時間を楽しく、幸せに過ごすことにしよう、とヒロチンコと話し合う。

煮詰まってはげそうだったので、夜はりゅうちゃんのところにちょっと飲みに行き、ハンサムなきょうだいや春樹ファンや結子としゃべって楽しく過ごして帰宅。

これはうちの赤ちゃんだけではないに違いないことなので、強く言いたいが、赤ちゃんは基本的に母親とオーラを共有しているので、私がいらいらしていたらいらいらする。そして私が楽しくておっとりしてたら、おっとりする。絶対だ。「子供」という年齢になると個人のバイオリズムが出てくるので違いが出てくるが、赤子のうちは間違いなくそうだ。

洗濯機と親の入院と仕事のことでいらいらしていた先週あたりは、彼もいらいらしてあてどなく不安そうだった。結子とレバナに言われてから、私がペースを落として気晴らしに出かけたりもするようにしたら、とたんにまたもとのかわいいチビラが戻ってきた。

こう考えると、ぐれて「積み木をくずす」ようになるまでには、どれほどの無関心といらいらが積み重なったんだろう？　と思う。毎日の積み重ねが人生だから、たまってからでは引き返す道も長くなる。たった一週間のいらいらで子供の性格ががらりと変わったのを、私はおそろしく思った。子供ってほんとうにお母さんの出している何かを、植物が水を吸うみたいに糧《かて》にしている。それが愛情でなければすごい勘ですぐにわかってしまう。でも「君を愛してるけど、今はいらいらしてる」っていう微妙な感情なんかは、全然わかんない。動物とだいたい同じだな。

たとえ人を雇いまくってすかんぴんになっても、家事育児でいらいらしない生活を「今、ここで」作らなくてはいけない。貯金がたまったころには子供もむちゃくちゃになってしまうだろう。

こういうことを言うといつでも「あなたはお金があるからいい」と言う輩《やから》が出てくるけれど「デブラ・ウィンガーを探して」と全く同じで、仕事と家庭の両立ってすごくすごく大変なので、どの大変さを取るかは個人の問題なんだよな～と思う。

あの映画、ロザンナさんたちの大変さがわかると同時に、やっぱり業界人だよな、いいレストランにいるし、いいホテルに泊まってるし、いい服着ているし、なんだかんだ言って、女優に憧《あこが》れるわ～という側面へのねたみを全然カバーしてないところが、なんだかかえって素朴ですばらしかった。ロザンナさんはほんとうに苦しんでるんだな、って思った。私は彼女たちの世界に近いところにいるので、痛いほど気持ちがよくわかった。

そして……今「テンプテーションアイランド」がまさにイギリス版なのでよく考え

るが、やっぱりアメリカとヨーロッパの違いって大きいな、と思った。

「デブラ……」でもヨーロッパの女優さんたちのコメントは病的じゃなくて、本能的で、誇り高い。あと、おばあさんがとってもきれい。つまりおばあさんがきれいでいられる文化的背景があるのね。個人の幸福に寛大な世界にいるな、と思わさせられた。妊娠して腹がでかかったとき、9号以上の服のなさに驚いたもの。9号以上はださいブスでいろってか？　と思ったもん。そういうようなことだと思う。アメリカ（ハリウッド）ではやっぱり若さ美しさに関して日本と同じくらい洗脳が進んでいて、40代女性はとっても大変そうだった。

あと「テンプテーション……」でイギリス人の男の人が、「彼女と離れていると『今日はイルカを見たよ！』とかそういうことが言えないのがなによりも淋《さび》しい」って言っていたが、これもヨーロッパ的だなあ、と思った。性がすごく日常的なもので当然のものだから、かえってそれ以外のことに普通にちゃんと考えがいたるっていうか。

2月21日

陽子ちゃんが来てくれたので、子供を見てもらって、ラブ子のことであれこれ動く。いろいろな人に相談したり、意見を聞いたり。

方針もやっと揺れなくだいたい固まってきた。もう苦痛を与える検査はしない、遠くの病院にも行かない、抗がん剤もちょっとだけやってみようっていうことになって、その病院の先生にいろいろお願いしたり、近所の病院に診察にいっておいたり。

ラブちゃん、夕方いっしょに外を歩いていると、小さい頃と何も変わらないのにな～。淋しいなあ。

でもラブ子は近所の赤ひげ先生が大好きなので、はしゃいでいた。診察で痛がったが、おやつですぐに忘れていた。

先生「この子は、食べることが何よりも好きだから、それを保ってあげなくちゃな」

このセリフ……チビラのことでもよく聞くが、私の育てた人たちって、もしや……みんな、いやしんぼう。

ビタミンだの薬だのいろいろもらってきて、もうひとつの病院とうまく連携を作って、とりあえず万全のかまえを整えた。あとは気楽にやるしかない。どうせいつかみんな死ぬ日が来るんだし。そういう意味ではだれもおろそかにしていい人はいないが、はりつめてもだめ、楽しくないと！　毎日が勉強だ。

こういうとき、これまで質問コーナーで接してきたペットロスの人たちを思い、みんなが通った道だから、心強いなあと思う。知らない人たちだけれど、そういう気持ちはひとつだなあ、と。

みんなで焼肉を食べに行き、からい唐辛子ものを中心にがんがん食べる。

私は乳のために、肉はちょっとひかえめにした。えらい〜！

私がはりつめていないので、チビラはもとののんびりさん顔になってきた。陽子ちゃんやなっつに甘えて、王子様のようにいばってあれこれ食べさせてもらっていた。

2月22日

チビ孝行でだらりと過ごす日曜日。

ラブ子は朝から晩までアガリクスだのマキシモルだのプロポリスだのを食べさせられているが、楽しそうだ……。

夜は髙島屋の中にできた小さいフレンチで軽いコースをみんなで食べる。ポテトが好きなチビラくんが一人前くらい軽く食べてしまった。

坂本龍一さんの新しいＣＤを聞いていたら、ピアノに合わせてチビラくんが鉄琴を叩《たた》いていたが……もしや……音楽の天才？　と、全《すべ》てのばか親が通る親ばか道をひた走る私だった。

情熱大陸を観《み》て、安野さんの忙しさのすさまじさにおののく。すごいなあ……。そして私はすごくすっぴんできっちりと年相応に映っていたが、確かにあの日はほとんど化粧してなかったような気がする。TVに出てる人って、どれだけ濃く塗ってんだ？　とおそろしくなった。そういえばヘアメイクありで出ると、いつでも四重くらいに塗られて皮膚呼吸ができなくなるが、そのくらいなのだろうなあ……。

2月23日

ヒロチンコがお休みで、久々にお見舞いも病院もないので、新宿で買い物をする。香水だとか、パソコンを置く台だとか、どう考えても三百円くらいにしか見えないのに十万円するピースマークのネックレスだとか。あまりにも三百円にしか見えないので、作者の勇気に敬意を表して買ってしまった。

そして餃子《ぎょうざ》を食べに行く。

チビラも餃子をぱくぱく食べた。ほんのちょっとだけ味が落ちていて心配な老辺《ろうべん》餃子館だった。その「ほんのちょっと」からスタートするのだ……堕落というものは。作家も同じかもしれない。

蒸しかげん、餃子の丸めかげん、中身のバランス……全てがほんのちょっとだけずつ、ゆるんでいた……。保ってほしい！

漫☆画太郎のマンガをまとめ買いして、読んでとっても幸せになる。「珍遊記」の巻末に「全く売れない」と怒ったあとがきがあったけど、全巻しっかり買い続けた私！　がここにいるのに～。きっと鈴やんも全巻買っているわ。

それから岩舘《いわだて》先生の「アマリリス」もはりきってまとめ読み。もう、あの中に入ってあの人たちと暮らしたいくらいにしっくり来る世界だった。ゾンビも好きだし。

そして「やっぱり札幌に行って、かに将軍に行けばよかったな～」と思った。

2月24日

お昼ははじめてお願いしたお掃除の人が来てくれる。

むいているって……それってつまり、流れるように作業ができるっていうことなのね。ハロゲンヒーターの中をねじをはずしてまでそうじしたい！　なんて私は、一回も思ったことがないもんな。おかげさまでばりばりと仕事をすることができた。

夜は焼肉屋さんで肉を焼かずにビビンパを食べて、スープを飲む。チビラもいっぱい食べた。あいかわらずすごい繁盛《はんじょう》ぶりで、息子さん夫婦も手伝っていた。息子さんたちは韓国のとても珍しい楽器を演奏できる数少ない演奏家なので、人気店との両立たいへんだと思うけれど、ほんとうにがんばってほしいな、と思う。才能を枯らさないで、余裕をもって、気持ちを前向きにして、できることならどっちも続けてほしい。心からそう思った。そして美人のおじょうさんは、スキーで真っ黒くなり、むちうちにもなっていたのにばりばりと働いていた。ううむ、若さ！

2月25日

おじいと対談で、新宿の沖縄料理屋さんへ。

かわいいおじょうさんたちをまじえ楽しく語らった。

久しぶりのおじいは元気そうでよかった。しかし彼が東京にいるというのがなんかしっくりこなかった。彼の背景はいつでも沖縄だ……。

そしてかいまみえた彼のもてぶりがおそろしかった。あんなにもてる人はなかなかいないだろうと思う。私もおじいが大好きなので、一年に一回くらいしか会えないが、会えるといつでも嬉《うれ》しい。そしてあまり会えなくても、会っていない気がしない。自分らしく生きている人ってみんなそうだ。

ちょっとだけバーニーズに寄り、小林さんの元気そうな顔を見て、このあいだのピースの人のブレスレットと指輪もセットで買い、ふにゃふにゃと帰る。

ナビ子さんの言うとおりにいつもと違う道に近道をしたら、なんと行き止まりに導かれた。

なっつ「君の言うとおりにしたのに！　ナビ子さん！」

こういうことってあるんだなあ……。すごく驚いた。きっとあとから柵《さく》ができて、その情報がなかったのだろう。そういえば六本木ヒルズに入るトンネルみたいなのもナビ子さんのＤＶＤができるときにはまだできていなかったらしく、ものすごい遠回りの道が示されていた。

かぶとエリンギといくらのパスタというすごい残り物集合体の晩御飯を作って食べた。しかし、妙においしかった。かぶがソースになるくらいに煮込んで、バターと塩で味つけて、いくらはトッピングしたのだ。でももう二度と再現できる自信はない。

2月26日

クリス智子さんの番組に出るために、J－WAVEへ。

前はてきとうなセキュリティでてきとうな待合室だったあのラジオ局も、森タワー内に引っ越してすごく立派になり、容易には侵入できない場所になっていた。っていうか、前がゆるすぎたのでしょう……。

いつも聴いている番組なので、あまり緊張しなかった。

それから医院と薬局に漢方薬を取りに行き、夜はカレーうどんを食べに行った。高島屋の古奈屋さん……私の地元あたりが本店なんだけれど、いつもおそろしく混んでいて、行ったことがなかった。食べてみたら、とってもおいしかった。バナナカレーうどん！

2月27日

えり子さんちにお茶しに行って、いろいろしゃべる。女の花道について。あと、楽しく生きることについてとか、そうじはどうしてこういう仕事の人たちにとってむつかしいのかとかそういう話。すごく楽しかった。ラブちゃん用にフラワーエッセンスを作ってもらった。

そして西武に行って、スカートとパンツとテンピュールのルームシューズを買う。今度は底がある奴《やつ》！　スリッパタイプはうちでは無理だ……すぐこわれる。あれは叶《かのう》美香さん以外にははきこなせないわ。

テンピュールフリークのヒロチンコも「すばらしい……スリッパがこわれやすいので評価が下がったけれど、また見直した」と満足げだった。その微笑は、輝くようだった。前にスズキさんがうちに遊びにきたとき、あまりにもいろいろなテンピュール製品があるのを見て「なんでこんなにテンピュールがあるんですか！　うわ、これまでテンピュールだ！　だんなさんはテンピューラーだ！」と言っていたが、ほんとうに……。

夜は豚丼《ぶたどん》を作って食べてから、家中のみんなでびわ灸《きゅう》をやりあった。向こうで寝ていたゼリ子が突然やってきて背中を向けて「やって」と言わんばかりにすわったのがおかしかった。なので、ちゃんとやってあげた。すごく満足していたが熱くなるとう〜と怒っていた。

そしてラブ子さんがとろりと気持ちよさそうになったので、買ったかいがあった。

今日は血液検査があり疲れた感じだったのが、顔もゆるんだ様子だ。ラブ子さんはいまやひまさえあれば、サメ軟骨もエッセンスもマキシモルもプロポリスもアガリクスもマカもノニも冬虫夏草も何でもかんでも飲んでいる。スーパードッグだ……。

2月28日

片山先生が亡《な》くなった。

最後まで、男の中の男だった。いっしょに回転寿司《ずし》を食べたのが最後の思い出だ。最後の病室には私の本を持っていってくださったそうだ。いつも見ていてくれて、あまり多くを語らずともいつでもちゃんと読んでくれた。片山先生を失って、なにかひとつ、守られているものを失った感じがする。でもあまりにもすばらしい人だったので、亡くなってもまだ見守られている感じもする。

切ないが、お祈りして見送った。

先生ほどの魂の格の高い人になると、去り際《ぎわ》もいさぎよく、そしてただすばらしい人に接したという思いだけが、こちらに残る。稀有《けう》なほどにすごい人だった。

いつまでも、心から尊敬している。

昼はチビラと陽子ちゃんとダッシュでチャカティカに行き、禁断症状の出ていたカレーを食べた。やっぱりおいしかった。私の中のカレー選手権ではここのインドカレーが一位だ。ちなみに二位は野方のカレー屋さんのキーマカレーだ。田中さんとちょっとおしゃべりして、ダッシュで帰った。

それから夕方は「寿司をおごるから」と言ってなっつにチビラを押しつけ、陽子ちゃんといっしょに「ゴシカ」を観に行った。

いちばんこわかったのは、終わったあとのトイレがすごく遠いところにあったことだった。そして犯人ははじめから終わりまで犯人づらで出てきたので、顔に書いてあると言いたかった。いちばんの疑問は、どうしてあんな豪華なキャストがこんな映画に出てくれたのかということだった。

3月1日

寒いなんてものじゃない、雪が降っていた。ひいいい！

家中の暖房をつけて、寒い寒いと言いながらすごした。そして、晩御飯は髙島屋の資生堂パーラーに行って、好きなものをたくさん食べた。やはりあそこのチキンライスは変わらない上に最高だ……。江戸っ子の喜び。

そういえば、ザ・ギンザのプレスですって言って、このあいだ同級生だった美人の長さんが雑誌に出ていたけど、変わらず美人だった。彼女の裸は、これまでに見た女子の裸の中で最高にきれいだったなあ……などとエロい思い出をよみがえらせる私だった。

こんなこと公の場で書いていいのだろうか。

夜はまたもや家族みんなでびわ灸をした。びわ灸は下手にやると頭痛がしたりして、あなどりがたい。

3月2日

来日中のレオノール・ワトリングさんと対談。

なんていうか、イタリアでよく会う人たちにすごくいろいろな面で似ていて、スペインにもとてもも行きたくなった。あと、特別企画のちほちゃんにも似ていた。

私の小説を好きな顔っていうのがあるんだわ、きっと。気があう顔って。

「トーク・トゥ・ハー」でのすごみのある演技はプロの技で、実際の彼女は若くかわいくてはつらつとしていた。バンドもやっているそうで、ピアニストの男の子といっしょに来日していた。高級ホテルが合わないってくらいに、気さくなおじょうさんだった。

　そして通訳の人に気楽に話しかけていたら、それはスペインのほうであいだに入っている会社の社長だった。急に「社長！」と呼んでみたが、空《むな》しく、申し訳なかった。どうも妙にシャープな人で、訳がばつぐんだと思ったら。誠実にあいだに入ってる感じがして、彼女たちものびのびしていて、すごく感動して、うらやましかった。

　私の小説はスペインにもいっぱいファンがいるみたいで、すごくはげみになった。実際に読者の顔を観ると、突然にその国が近づいてくる。

　ついにあの洗濯機が完全に壊れ、またも脱水ができなくなった。くそ～と思いつつ、夜は、ヒロチンコの後輩で「岡田監督と荒俣宏《あらまたひろし》に似ていて、漫☆画太郎が好き」な人が送ってくれたという、かにとマグロをなっつも交えてがつがつと食べた。かになんて、なんだか箱のなかでまだ生きていたのでこわかったが、嬉しかった。

　手先が不器用ななっつなのに、包丁ですご～くきれいにかにに切れ目を入れている。

すごいね！と言ったら、「料理は愛情です！」ときっぱりと答えていた。かにに対する深い愛が感じられた……。

3月3日

ついに新しい洗濯機を購入。

近所のすばらしい三代（みんな同じ顔）で経営している電気屋さんにみっちりと相談して、今度こそうちの動物の毛状況にふさわしい機種を選んでもらった。さくさくと洗濯機が取り寄せられ、午後にはやってきた。すごい！おじいさんとお父さんが2人でやってきて、ちゃんと前の洗濯機はリサイクルにまわされ、値引きもされ、設置の時にはちゃんと全部ごみをとりのぞき、説明もしてくれて、去り際には「もし少しでも調子が悪かったらすぐに来ます、それが当然ですよ！」とおじいさんが頼もしくうなずき……そうそう、これが正しい世界のありかた！って私は思いました。

前のを買ったコジマの人たちは、予定よりも五時間遅れてへとへとになってやってきて、説明はなく、「こんなとこにつないだらこわれますよ！」とか脅しだけは鋭く、去っていったのだった。売るだけが仕事の世界だった。

そして次に来たサ……の人たちは、埃《ほこり》を拭《ふ》きたいので、設置の前に声かけてくださ い！と言ったのに、汚れの上に新しい洗濯機を置いてしまった。製品に対する愛がなくてただ先へ先へ、次の場所へと急いでばかりいて、なんだか淋《さび》しかった。

やはり十万円以上のものを買うのだから、自分が発展してほしいところに投資するのが正しいんだ、と私はしみじみと思った。

だって、コジマのほうが早いわけでもなく、安いわけでもないのだから、もはや。

そして、お手伝いさんとベビーシッターさん（陽子だが……）となごむという、昔からの夢（なんで？でもなんとなくそういう将来っていいなって思っていたのです、昔から）だったひとときもあって、いい午後だった。

それから、おしめ替えのときにマナチンコがなっつにいきなりおしっこをひっかけたので、私の高価なシャツをさしあげた。ほほほ。ああ、びっくりした。

夜はちらりと昨日のレオノールさんのバンド「マルランゴ」のフリーライブに行く。かなり好きな感じの音楽で、とても好きになった。ほんとうに好きかも。好きな顔の人は好きな音楽をやるという法則にぴったりのできごとだ。

3月4日

この忙しいのについ「天使の運命」を読みふける。イサベルさん、おじょうさんの死から立ち直ってほんとうによかった。しかし、いくら続編があるからといえ、最後のほうは文の密度がスカスカになっていっていた。これはどう考えてもスタミナ切れだ。しかし主人公と中国人のスピリチュアルなカップルは夢のあるステキさで、リアルにいい感じの組み合わせだったので、すごく気持ちが明るくなった。いかに生々しくてもやっぱり女性の文学は底の底を描かない。私もそうでありたいものだと思った。

犬の散歩に出たら、近所のすてきなストーカー、オガワさんからかわいい鯛焼《たいやき》がポストにあるのを発見。でもほとんど赤ちゃんに食べられた。

夕方はお見舞いにいき、父にびわ灸をする。でも相変わらず、びわ灸よりも赤ちゃんがいちばんの薬だったようだ。体はよれよれなんだと思うけれど、はっきりしていてある意味元気だった。底力があるなあと思った。

そのあとは、実家でひなまつりの会。ちらしずしを食べて、なぜか羊肉なども食べる。そして階段から落ちたというハルタさんのすごいあざを見せてもらって、みなでびわ灸をする。あざのところにもした。まるでばら星雲のようなすごいあざであった。

母「あら、ハルタさんの足、肉があるのね」

「あら、おねえちゃん、肉を出しているの？」（背中を出していたのに……）

この「肉」の使い方にみななんとなく差別を感じて抗議していた。

それにしても洗濯機……静か、使いやすい、糸くずがとれる、温水で洗える……などあまりにも頼もしい。ナショナルばんざい！　タチバナデンキそっくり親子三代ばんざい！

前の洗濯機は、その前のがこわれてあわててコジマに走り、新製品キャンペーンであわてて買い、設置も遅れ……とにかく雑な出会いと別れだったが、今回は設置してくれた人の顔がいい感じに見えて印象が残っている上に、機能も充実だ。まるで「王国その2」のようだ……。書いたあとから学んでどうするのだ！

3月5日

ばたばたした一日だったが、カウブックスですてきな本を数冊買い、おいしいコーヒーも久々に飲めて、とても幸せ。カウブックスのお兄さんは女子高生にもてていてやはりとっても幸せそうで、微笑《ほほえ》ましかった。

姉が写メールでものすごい写真を撮って送ってきたが、とてもここでは書けない……ジャンルは父の臓物、とだけ書いておこう。ただただあの携帯を落としませんようにと祈るのみだ。あの携帯には、お母さんの赤黒く腫れ上がった、死体の足そっくりの足だけの骨折写真も入っている。トータルで見たら警察に届けられてしまいそうだ。落し物としてではなく。

昨日も姉のつくったお寿司《すし》の飾り付けがミステリーサークルみたいだったので、「これはなにを描いてあるの？」と聞いたら、「やっぱり女の祭りだから女性器かな〜」とさらりと言っていた。そしてヒロチンコが「じゃあのりで飾らなくちゃ」と控えめなギャグを言っていた。下品……。

夜はみーさんがダ・ヴィンチの私特集のために作ってくれた炊《た》き込みご飯が、ダ・ヴィンチの人たちの愛によって転送されてきたので、おいしくそれを食べた。チビラがいっぱい食べていた。甘くて、ふわっとして、しっとりしていて、幸せな味だった。ちゃんと二人前でタッパーに入っていたのもすてきだったし、タッパーからみーさんの家の匂いがして、じんときた。

このあいだもランちゃんの新刊を読んで、なんだか大泣きしてしまった。自分よりちょっとおねえさんな人たちのやることなすこと、みんなじんとくる。

3月6日

このところ（というか前からだけれど）、社長にいっぱい会ったので、なんとなくだが仕事で成功する法則を見つけた。

ベイリーくん（スウォッチグループの社長さん……とてもスイートな人で、奥さんも考えられないくらいすばらしい人、しかも美女）もそうだけれど、社長と呼ばれる優れた人とメールでやりとりすると、全《すべ》てがとぎすまされていて、ある意味刀で切りあっているようだが、基本的にそれはこの世に対する、そしてお互いの才能に対する愛にあふれた戦いなので、決していやな気持ちにならず、やる気が出てくる。この、人をやる気にさせるということがひとつだ。そしてたいていの社長はレスポンスが速い。忙しいのだろうに、と思う人ほどそうだ。いばってないのに威厳があって、まわりの人に対して、いろいろなことを出し惜しみしない。無駄がない。

最近、あまりの忙しさにやむなくおそうじの人を雇っているが、数人見ていたらなんとなくわかってきた。

同じ三時間、同じお金なら、なるべくのったりと仕事をして、なるべく労力を使わずにさぼって帰ろうというやり方が家政婦業界ではあるみたいだ。それは、私から見ると、完ぺき主義でしゃかりきになりすぎてあわててしまい、ものをこわしたり怪我《けが》したりする（これは私がよくやるおろかさのパターン）のよりももっとおろかだと思うのだ。そうやって、自分の時間や労力を節約しているつもりなのだろうが、実はほんとうに大切なものを浪費している。それは神様からあずかったお金のようなもの、もっと価値のあるものを浪費しているのだ。

きっと、その浪費がなければないほど、人は成功するのだ。

いちばんいいのは、ニーズと自分の労力をはかりにかけて、それよりもほんのちょっと多く、仕事や他者への愛によって、労力をプラスして働くことだと思う。これは、もちろん私の仕事にも言えることだ。その「ほんのちょっと」の力を出そうとする中にだけ、大切な宝と「我を忘れて夢中になれる、そして思いもかけないすごいことができてしまう」というごほうびが入っているのだ。

これはこの世の法則だと思う。

私はあまり人を悪く思わない幸せなたちなんだけれど、昔からいちばん嫌いでどうしても敏感に反応してしまうのは、どんなに大事な仕事をしていても時刻が来ると帰ってしまう人や、同じ給料ならとわざとのんびりと仕事したりする人や、時間外だと仕事先の人に会っていても普段と全然違う「できれば俺に何も言いつけないでくれ、今は仕事の時間じゃないから」という態度になる人とか、店の同じフロアでひとりはなまけ、ひとりはすごく働いているとか、そういう「出し惜しみ感」だ。そういうのを見ると、もう気分が悪くなってしまう。そういうふうに「計算」をするということ自体が、嫌いなのだ。ワーカホリックだなあ！

でも、そういう出し惜しみは必ず自分の人生に反映するし、逆に出し惜しまない人はちょっとだけ大変にはなるが、たくさんの愛やお金を人からもらえるようになっている。

私のようにやりすぎるのも問題だが、とにかくそういうけちさは、お金にけちなのと同じくらい、嫌いだ。

ああ、腹たつ。

でも、今日新しくベビーシッターのバイトに来てくれたKさんは、なんとも言えず大らかでおっとりとしているのにやる気があって、とても救われた。そして美人ちゃんなので、マナチンコはぽうっとなって、もう自分の大事なおもちゃを手渡していた。陽子ちゃんもいたので、ふたりに囲まれてハーレム状態。彼には絶対美人運がある（親以外）。

このあいだも寿司屋で、となりの席のおねえさんにおしぼりを渡そうとしていた（いらないと思うよ……君の使用済みのおしぼりなんて）彼。もう立派な男子だ。

3月7日

新宿のパークハイアットのとなりのビルの地下でフリーマーケットがあり、タイラミホコさんのやってるTIIDAの器をちょっと売るというので、買いに行く。お皿やカップをたくさん買った。満足！

タイラさんと彼氏のロケットマンさんはとても似合いのカップルでぴかぴかしていた。これほどに似合いのカップルを見たのは久々で、心洗われた。そしてタイラさんの器は安くてかわいくて使いやすくて、子供がいても全然こわがらずに大ざっぱに使える。子供の記憶の奥底に残ってほしいような器なので、嬉《うれ》しかった。

ハルタさんといっしょに行ったので、迷いに迷って他のブースで売っていたすごい妖怪の人形も買う。家に置いてみたら、すごく浮いた……。でもすごくかわいかったので、いいということにする。

それからなっつとハルタさん三人で、しみじみとお茶をした。

コンランショップに大きいほうのまな板……廃材に取っ手がついたやつ……を買いに行った(小さいのはスイセイさんが作ってくれたものを愛用していて、健在なので)ら、なんともう扱いがないそうだ。愛用のポットもだった。残念だったが、店の人にその二品を告げたら、何月から欠品だとか、いつまであったのだが入荷予定はないだとか、すぐさま把握している感じの答えが返ってきたので、やっぱりここはすごいと思った。

チビを一日Kさんにあずけていたが、チビはでれでれにこにこして楽しそうにお留守番していたのでよかった。ほんとうに楽な子供でよかったと思う。

3月9日

家の近くの意にそう場所に、ついにトランクルームができたので、見に行って早速契約をする。これで、部屋をふたつ借りている重圧が減る……人が住める部屋を借りているのに、あまり行けないのって、ほんとうに気が重いものだ。今、こうしているあいだにも部屋がじいっと待っているような感じがするのだ。もうなるべくしたくないので、ものをじょじょに減らそうと思う。

私が十数回の引越しで学んだこと、それは、部屋というものは常に人に住んでほしいと思っているということだ。空き家、空き部屋は原則として不吉なものである。

それでばたばたして遅刻しつつ、久々のフラ。

とにかく足腰ががたがただった。筋肉ってほんとうにすぐに落ちると思う。うちのチビラくんはよくげらげら笑いながら何十回でもスクワットをしているが、ああいう運動のしかたって自然に筋肉がつくのだろうなあ。運動の真髄だと思う。

それぞれ全然違う魅力の三人のインストラクターの先生たちの踊りを見ただけでも、もう感動してしまった。歳《とし》も姿も感じも三人とも全然違うのに、みんなそれぞれが星みたいにすばらしく輝いていたからだ。

さらにサンディー先生が踊ってくれたので、みんな泣いていた。

ほんとうにうまいと、ステップをふんでいる振り付けやカウントが全く感じられないんだなあ……。

マイケル・ジャクソンもそう言っていたが。

私たちのその涙は、新興宗教の教祖さまを見るような涙ではなくて、あまりにも美しいものが、あまりにも一瞬で過ぎ去っていくその貴重さを感じたからだろうと思う。

優れたダンサーは、必ずそれを感じさせてくれる。今は一回しかなく、この踊りはもう永遠に見ることができない、だからこそ、今のこの時間は大切なのだということが、その一曲の中に凝縮される。そして、人間というもののとてつもない美しさやすばらしさもそこにこめられている。

ところで、前から「あの子、うちの子になにかが似てるな～」と思って心の中で「マナちゃん」と呼んでいたか～わいい女の子が同じクラスにいるんだけれど、三周年の乾杯のときに、その子が「私、ばななさんのうちの息子さんと同じ誕生日なんです」って言い出して、びっくりした。やっぱり……なにか傾向が！

でも、てるこも同じ日……。

同じクラスのみなさんはほんとうにみんなかわいくて、楽しそうで、けちけちしてなくて振り付けとかコピーして送ってくれたり、遅れた人を見る目も優しくて、この人たちが普段町をばらばらに歩いてあちこちにいることとか思うと、ほのぼのします、東京が！

このかわいい人たちに混じって私も自分の仕事や毎日をつうじて、幸せを作り出したいな～と思う。ぎすぎすしたことは、もう充分ですわ。

3月10日

松家さんと沖縄本の打ち合わせ。

妊娠出産、媒体の廃刊などなどで、材料取材共に中途半端な状態なので、あれこれと模索する。

いつも控えめな慶子さんだが今回はずばりと的確な意見を言ってくれたので、みんな最終的には大丈夫だという気がしてきた。ずっと同行し、見てきた人の意見だから、こういうのっていちばん効くと思った。すごく助かる。スタッフのすばらしさを知る瞬間だ。

そして、食事中にはイケメンや不倫や人生について熱く語り合い、みなで真剣に意見を交換し合い、とてもたのし～くて濃いひとときを過ごした。

松家さんが「ずっと男子校にいて女子を見ずにいると、その中でもなんとなくかわいく思える男子が出てくるものだ」と言っていたので、男子校に行っていたヒロチンコに聞いてみたら、決してそんなことはないと断言していた。松家さん……もしかしたら!?

夕方はえり子さんが遊びに来て、ラブちゃんのお見舞いとヒーリングをしてくれた。

ラブちゃんが気持ちよさそうにしていたので、とてもよかった。巨大なポットを持ってきたので、ヒーリングに使うのかと思ったら、単にビックカメラに寄って買ってきたの、と言っていたが、すごいなあ、渋谷から徒歩であれを運んでくるなんて……しかも華奢《きやしや》な靴をはいてるし……。計り知れないパワーを感じた。

そして「なっつのうちにはおばさんの幽霊が出るんだよ」と言ったら、さらりと「ああ、でもそれはそこに住んでるんじゃなくて、近所の自縛霊が遊びにきてるみたいだよ〜」と言っていた。

すごい！ でも聞いても全然すっきりしない情報！

お礼にえり子さんに焼肉をおごった。チビラくんは肉をばりばりと食べたばかりか、サービスで出てきたでっかいシュウマイを四個とも食べて、おなかがぽんと出た。こわかった……。そして自由業と確定申告について、みなでしみじみと語り合った。

3月11日

ヒロチンコが腸をこわして倒れたので、チビラをつれて洪さんの取材に出かけていく。

おいしい中華を食べながら、インタヴューを受ける。また台湾に行きたいねと話し合う。洪さんも元気そうでよかった。楽しかった台湾の取材だったが、一回目なので見るもの聞くものなんでも感激ばかりしていた。次はもっとちゃんと取材をしたいなと思うが、子連れなのでどうかなあ～？　しぼりこんでいけば、なんとかなるだろうと思う。

夕方、あまりにもヒロチンコの具合が悪そうで、ばたんと倒れたので、とりあえず救急車を呼んだ。しかし救急車が来る頃には若干回復していたので、乗るだけ乗っていろいろ様子をみてもらい、ただ、帰ってもらった。なんだかはずかし～。「こういう人、たまにいますよ」って言われたが、けっこう多いとみた。子供のことなどで呼ぶときは冷静になってから呼ぼう、としみじみ学んだ。

しかし夜になってまた悪くなってきたので、近所の病院に行ったりして、一日鬼のようにばたばたしていた。仕事もたてこみ、宅配便は山のように来て、ラブ子も具合悪いし、チビラを風呂《ふろ》に入れたり、もうてんてこまいだった。

寝るころには自分が倒れないのが不思議という状態だったが、チビラが元気いっぱいにスクワットをして、腹痛で死にそうなパパに「ね～！」を強要しているのが救いだったので、笑いながら寝た。

鈴やんに教わった「レンチンプラス」はラブ子にけっこういいみたいなので、父や実家の猫にもとりよせようと思った。高いけど、会員になると少し安くなるらしい。販売しているエイブリーの人たちもとても親切だ。

それからフコイダンをすすめてくれた人がいたので（メールありがとうございます！）それもとりよせてみた。すごい液体だったので、スープに入れてみたら、うまかった（使いかた、間違い？）。そしてまあ病人たちはともかく、チビラくんのアトピーにすごくよかったらしく、すぐにすべすべになったのでびっくりした。アトピっ子におすすめ……。

3月12日

なんだか寝たのか寝てないのかわからないよれよれ状態で、やってきた陽子ちゃんにぐちりつつ、ばたばたする。

陽子ちゃんが「まほちゃんはまんべんなく優しすぎだ、たまには『もう知らない！』とか『もうできない！』とか投げ出すべき！」と言ってくれたので、そうしよう、と思ってなんだか落ち着く。

そして関さんちに腱鞘炎《けんしょうえん》のマッサージをお願いしていたので、どたばたと走っていき、なんとか手が動くまでにしてもらう。そしてぐうぐう寝た。チビも寝た。関さんにすごく興味があって好きでたまらないチビラくんは、スクワットをくりかえしやって興味をひいていた。ある意味、男らしい興味のひきかたかも。みんなでいろいろなみかんを食べて、すごく楽しいひとときだった。

チビラくんをとりあげてくれた関さん妹さんがすごくおいしいパンを買ってくれていて、それに関さん姉さんが大地のマーガリンをおまけしてくれたので、うちに帰ってすぐにおいしいおいしいと食べた。真っ白くて上品なマーガリンだった。はちみつもぬった。

そして夜は打ち合わせで健ちゃんとなっつと焼肉を食べた。おととい来たばかりの私をほほえんで迎えてくれる優しい焼肉屋さん一家であった……。内心あきれてるかも……。おじょうさんがスキーにうちこんでいるのは知っていたけど、競技会で入賞するほどだって知らなくてびっくりしてしまった。すげ～！　いつも黒いはずだ。なんでもできる一家である上に、あんなにおいしいものを地域の人々に提供してるなんて、あの一家は世田谷区に表彰されるべきでしょう。

チビラがとなりの席のお兄ちゃんに興味しんしんだったので、ちょっと遊んでもらった。どうも彼は同じ歳くらいの赤ちゃんよりもお兄ちゃんやお姉ちゃんが好きだが、みんなそういうものらしい。

健ちゃんがラブのお見舞いに来てくれたので、ラブはとても嬉しそうでちょっと元気になっていた。犬ってほんとうに感情と体調が直結してるけど、人もそうなんだろう、ほんとうは。ちょっとわかりにくいだけで。いろいろ健ちゃんに話しかけているみたいだった。

親が弱って入院し、愛犬は大きな病気で、一歳の子がいて育児は死ぬほど忙しく、さらに仕事は山積み……こんな状況で少しでも幸せと感じることなどありえないと昔の私なら思うだろう。でも、そんなことはなかった。悲しいことがいろいろあっても、たまにふっと、たとえばまだ生きてここにいるラブ子が私とヒロチンコのひざに頭を乗せてきてTVを観《み》てるときだとか、なっつと車でコーヒーを飲みながらしゃべったりだとか、陽子ちゃんと関さんとチビラでお茶を飲んで笑っているとか、健ちゃんといっしょにラブをなでているだとか、そういうちょっとしたときにぽわんと幸せはやってくるものだ。やっぱりものごとって状況しだいじゃない、本人しだいなんだな、と思った。

3月13日

とにかくばりばりばりばりばりと仕事をこなす。おかげで驚くほど原稿が進んだ。Kさんに見ててもらって、チビラもずっと楽しそうに遊んでいた。

そして夕方は父のお見舞いに行き、思ったよりも元気なのでほっとしつつびわ灸《きゅう》をして、実家へ行く。回復したヒロチンコも来て、みんなでとり粥《がゆ》を食べた。姉が「今日はほんとうに何もない」と言っていたが、鍋《なべ》いっぱいのとり粥と煮物とサラダが山盛りで、「これが普通の家の『ちょっと作りすぎたかな』だよ」と言ったら、本気で驚いているようだった。

ヒロチンコが固形物を食べていたので嬉しかった。気の毒なようすなのに、あまり親切に看病しているひまがなかったので、心苦しかったのだった。

チビラはそんな人々の気も知らず、歩行器で走り回り、おばあちゃんといないいないばーのもっと過激なのをやっては、腹を抱えてげらげら笑っていた。今の彼の笑いはほんとうにげらげらという音がするからおかしいと思う。

3月14日

仕事部屋に荷物を取りに行き、往復が面倒なのでつい、ダンボール一箱ぶんの服と、植木鉢三個、プルーストの「失われた時を求めて」全巻の箱入り単行本七冊、器や掛け時計などをいっぺんに持って歩いて帰ってきたが、自分でもどうやって持ってくることができたのか不思議……。なっつも「僕にはできない」と驚いていた。

夕方は急に連絡があったので、チャカティカにさっと大石さんの器を取りに行く。買うって言ったのに、いただいてしまった……。すばらしいお皿を二枚も。そして田中さんと恋バナの花を咲かせつつ、カレーを食べた。なんか急さゆえにすごく自由って感じがした。その自由の中で、チビラは田中さんに抱かれて、白い恋人を四枚完食していた。

田中さんが従業員に社長らしく「すいませーん！　冷蔵庫の中の『白い恋人』を取ってください！」と言っていたのがおかしかった……。

となりの八百林さんでおいしそうなイチゴやトマトを買って、夕食のときにそのお皿に載せてみた。なんだか色があって、とてもよかった。これからもいろいろな食べ物を載せて、大事に使おうと思った。

まだヒロチンコが本調子じゃないので、夕食は野菜とかおつまみていどにして、ウルルンなど観てゆっくり過ごした。

3月15日

ラブちゃん抗がん剤初日。

時間をかけて点滴するので、朝から出かけていった。見送りつつ、ゼリちゃんのケアをする。毛をふさふさにとかしたりして。なんだか増量して丸いボールのようになってしまった。

そしてあいまにヒロチンコは確定申告をしにいき、私となっつはランチを食べ、本を買い、洗濯石鹸《せっけん》を買い……などなどに走る。お互いにちょうどいい時間にばっちりと用事が終わったので、いっしょに車に乗って帰る。

ランチのあいだに、ちょっと目を離すとチビラがとなりのテーブルのお姉さんのかばんを置き引きしようとしていて恥ずかしかった。お姉さんは全然気づかないでおしゃべりしているので、どきどきしてしまった。

帰ってきたラブちゃんはちょっとしんどそうだったので、びわ灸をしてあげた。でも、効いているという手ごたえはあったので、やってよかったと思った。

3月16日

フラの前に山西くんが来て、絵を見せてくれた。すご〜くよかった。私がもし絵本を描けるとしたら、ああいうふうな絵を描きたかったなって思うような絵だった。でも男子なのでどこかきゅうっと突き詰めたところがあるのもまたすてきだった。

そしてうちの動物は山西くんのことが好きだ。特にビーちゃんが……。私のことは爪をむき出しにしてすごい勢いでひっかくのに、山西くんには今にもゴロゴロ言いそうだった。くやしい〜!

いっしょにタクシーに乗って、途中で別れてフラへ。

久しぶりにかけはしさんが来たので、みんな喜んだ。そしてまたも心洗われるひとときを過ごした。小川さんは今日も美人なのに面白かった。

このあいだも書いたが、親が病気で最愛の犬も瀕死《ひんし》(まだもちそうですが)で、家にはいつでもたいへんなはずのチビがいて、いつでもぼろぼろに忙しくて座るひまもないのに、フラダンスの振り付けでいっしょうけんめいになって、みんなと笑ったり、慶子さんとお茶したり……できるなんて、とても信じられない。でも、できるものなのだなあ。幸せってほんとうに本人しだい。幸せを感じるたびに、あれ？　今自分は涙にくれていてもいいのに、おかしいなと思って、得した気持ちになる。

まあ、チビラがかわいいから力をもらえるというのが大きいけれど。

3月17日

ホメオパシーを一回お休みしたので、せっかくだから「今がチャンス！」とばかりに結子の家にさっとお茶しにいく。お父さんの退院にもつきそわなくてよかったので（がんちゃんが何回も往復してくれたそうだ、ほんとうにありがとう……）、いろいろがーっとしゃべって、お互いにげらげらと笑って、さっと帰ってくる。

たまに顔を見ないと、電話だけじゃ友情が！　保てなくなってしまいます。同じ空間でなんでもない話をして、笑うことがとても大切だ。

夜は、ヒロチンコといっしょに近所の中華屋さんに行って、すごくおいしい水餃子《すいぎょうざ》を食べながら、そこの家のお嬢さんとか奥さんとかお客さんとかとしゃべる。なんか、こういうときって「ここが地元になってきた！」って感じがするので、引っ越したくないなって思う。また来れば、少なくとも町のことがしゃべれて、子供の成長も見てもらえる。「ずいぶん大きくなったね、」もういろいろ食べられるようになったね、かわいいね」って奥さんは前に来たときを覚えていてくれた。

下町には25年も住んでいたので、まだそこまでの気持ちではないんだけれど、だんだんそういうつながりができてくるもので、重くもなく、なんとなくいい感じだ。

そして、ここ数日ほんとうに寝ないで考えていたことにも、結論が出た。すごくつらい結論だった。ジャンルは「仕事」。

私は人とほんとうの意味で知り合っていくのにすご～く時間がかかるタイプだ。そしてなにごとに関しても「人というものは、その人が何を言ったかではなく、なにをしたかである」と心から思っている。言葉、ことに書き言葉のトリックとかマジックを全然信用していない。長い手紙を書き続けた男の友人がひとりだけいるが、それはほんとうに例外で、お互いに時間がなく、会うと絶対に魔法のようにけんかになるので、苦肉の策だった。でも、それすら今は後悔しているくらいだ。けんかしても会って話し続ければよかったって。そのほうが絶対に伝わっただろうって。

「私は読者たちを海の底よりも深く愛しています」

たとえばこれは真実だが、こう書いた時点でうそっぱちになる。私が全《すべ》てを注いで書いた小説だけが、読者に届くのであって、私の宣言など意味がないからだ。書くことだけ、時間も自分も家族への思いも多少犠牲にしてでも書けと神が言ってる分だけただ無言で書いて、いろいろな人の力を借り、手間をかけて、出版する。それだけが真実だ。あとは全部言い訳になる。この日記でさえフィクションの一環だ。体調が悪かったとか、時間がなかったとか、それでもいっしょうけんめいでした、とか、親といろいろ問題があったので、書くものが暗くてすみません、とかそんな全てが、だ。

たとえばみーさんだって、あのすばらしい文章は、手抜きのない料理への愛情があり、まわりの人がおいしくて嬉《うれ》しくてあたたまっているからこそ、誇り高くいいふうに胸に響いてくるわけだ。そこには苦労のようなものが当然あるけど、みーさんの口から「今日は芋ひとつ触る気もしないのに、あなたのためにがまんして作った」なんていう言葉は永久に出てこないだろう。

最近の子供たちは、みんな礼儀正しいし、おとなしいけれど、実は、いろいろ言いたくてわかってもらえないことが胸にうずまいたまま育ってきているのではないだろうか。それから「したいことだからがんばってする」っていうのを、すごく自己流にとらえているのではないだろうか。どんなにいい人でも、自己アピールというのは、甘えとイコールであることが多い。「いろいろアピールしたことで、きっとわかってもらえている」という安心感がもっとも悪い結果につながる場合が多いからだ。「自己主張」をはずしてみたら、はじめて見えてくる他人の苦しみというものがあるが、それも見えなくなってしまう。そういうことさえも、「わかります、自己主張をはずしてはじめて見えてくる他人の苦しみがあるんですよね」と書き返して終わりになってしまう。それではわかったのではなく、書いただけで終わってしまう。頭に血が集まってしまう。それがネットとかメールの弱点でもある。個人が大人として扱われていない国だからなのかもしれない。たとえ嫌われても、憎まれても、私は相手を大人扱いしてそこのところは厳しい気持ちのままで、生で接したい。小説は頭で書くものだから、ますますそうしたい。

おせっかいかもしれないけれど、ほんとうに好きな、いいところがある人だから、もったいなくて熱くなりすぎてしまった。

3月18日

雨の中やってきてくれた次郎とみっちりと細かい打ち合わせ、今回は書くのはあちらなのですごく楽しい！　そしてせんちゃんとちゃんこへ。

相変わらずとてもおいしく、さしみもでっかく新鮮で、みなで楽しく食べた。でもなんといってもちゃんこの中の豆腐とおあげがおいしかった。それはせんちゃんのママが作った豆腐とおあげだ。

それからカラオケに行って、次郎くんとせんちゃんのすごい、ただで聴いていいのかどうかわからないようなエンターティンメントを楽しむ。

さらに、ヒロチンコの「うろおぼえスターゲイザー」とか、なっつが歌詞を作ったとしか思えない「日曜日よりの使者」とかを聴いて感慨にふける。歌はその人そのものだわ……。

せんちゃんとふたりでユーミンの「コンパートメント」をユニゾンで歌ったけれど、こんなことこの世にあるとは思わなかったのでびっくりして、嬉しかった。ユーミンに教えてあげたいわ。いつもこの歌を私が歌うとみんな「暗い」「長い」「知らない」など不評だったが、これを一言一句間違えずに共に歌い上げることができる人が身近にいたなんて!!!　感動〜。

持込自由の店だったので、みなでスーパーでお菓子やお茶を買ったりしたし、せんちゃんの歌う歌がほとんど中国語だったりしたことで、なんだか旅行に行ったようだった。

3月19日

桶谷《おけたに》式マッサージへ。

あまりにも斉藤さんのテンションがいつも変わらないので、ここにくる人(は、絶対にまだましなほうだと思う……)たちさえもけっこう甘えてるよな〜、としみじみ思う。

乳を出しているお母さんほど自分本位なものはないかも。でもそれが本能……そしてその相手をする仕事の人たちってほんと〜うにえらいと思う。

私が産んだところでも、みんなむちゃくちゃやってたもんな〜。あのかわいいみなさんのポジティブかつクールなかまえは大量の妊婦を相手につちかわれたものなんだとよくわかる。

だって、その人たちは好きなときに外出もしないで、いつも命とか体とかそういう生もので今しかない! ってものにかかわっていて、しかも大勢を相手にしてるんだよ〜。

そして今日も魔法の腕で乳をもみつつ、的確な判断をくだす斉藤さんであった。

はじめは「もしかして、きびしそうな人かな？　焼肉食べたら怒るかな？　餅《もち》もだめ？　もう食うものがない……」とちょっとひいたけれど、ありがたみが増すにつれ、その職人としての心にうたれてきた。今では角煮を食べたことも激白している私。

マッサージに通い始めてから、一回も乳腺炎《にゅうせんえん》にならないなんて、肉と引き換えにしてもいいくらいだ。でも来ている人たちが「肉とか牛乳はこわくて口に入れられないわ」なんて言ってるのを耳にすると、私は心の中で「私は……けっこう……食べてるけど〜」と思っている。食べても、子供が大量に飲む子なら、平気。あと、前後の食事が鍵《かぎ》ね。

人生でそう何年もない授乳の時期、なるべくいいふうに過ごしたいものだと思う。ところで横森理香さんも私と同じところで産んだみたいだけれど、彼女の筋腫《きんしゅ》の本2冊目を読んでいると微妙にいろいろかぶっていて、スピリチュアルで、とても楽しい。そしてどんな状況でもやっぱり自分のお母さんに愛されたい、優しくされたいっていう横森さんのことを思うと、じんとした。うちのお母さんなんて全然ましかもしれない。なにかとネガティブなのは世代的なものもあるんだなあ。

私も筋腫がばっちりあったけど、無事産んだよ！と思いながら、読んだ。

ほんとうに、お医者さんの言うことってたいてい、最悪の事態を想定しているから、ありがたいけど、困る。

3月20日

もう猫のパパの手も借りたい！という状況なので、カブちゃんとチョビオくんのパパである山西くんに子守りに来てもらった。

おそうじのおばさんと、「かまって！　かまって！　私病気なの！」という光線を常に出しながら迫ってくるラブちゃんと、「誰だっけ？　でもオレと遊んで！」と情け容赦ないチビラくんとにせまられながら、一日を過ごしていた大変そうな彼であった。でもチビラが立ち上がって歩行器を押す最初の瞬間を見ていたようなので、よかった。親よりも先に！　くやしい！

おかげで執筆は進んだので、夜ごはんを作る余裕さえ出てきて、高山さんの長いもレシピが里芋になっている、クウネルに出ていた炊き込みご飯を作った。

晩ごはんの全てが炊き込みご飯だけっていうのもどうかしら？　と思ったけれど、

それとおひたしだけでけっこう幸せになった。クウネル効果だ。というか、そこに出ていたみーさんの取材の効果だ。佐藤初女《はつめ》さんの記事を見ると、いつでも「これではいけない！」と思って冷蔵庫の中身を見つめなおしたりする。

そして、不器用でもていねいに作ると、ちゃんと食べようっていう気になる。

3月21日

夕方ハルタさんが来てくれた。

最近、話が多少通じるチビラくんに「ハルちゃんが来るよ！」と言い聞かせていたら、待ちきれずにすごくはしゃいで、きゃーきゃー言って、走り回って、最終的にはハルタさんが来たころには歩行器の上でがっくりと寝てしまった。

ので、ふたりだけでアイスをほとんど食べてしまいました。

夜はチャカティカで思う存分食べていたら、スズキさんが突然やってきたので、田中さんに赤ちゃんをあずけて（あずけておいたら、いつのまにかひき肉のせごはんを食べさせてもらっていた……メニューにもないおいしそうな一品だ）みんなで恋についてなど語り合う。ハルタさんとスズキさんの会話は、初対面の人たちとは思えないくらいにしっくりといっていたのが面白かった。
気づけばすっごくフラのうまいクロ先輩が後ろの席に！　なんかきれいで長い髪の人がいるな、フラみたいな感じだなって思っていたら、本物でした。よかった、会話の中で「私はフラの天才です」なんてうっかり言わなくて……（言えねえよ！）。

3月22日

ヒロチンコがお休みなので、しーちゃんの家にお古のスリングとかイカすベビー服を届けに行く。夏生まれのよーたんがもう今はむっちりとしていた。あんなにむっちりとした時期はなかったなあ、うちは。いつでもずる〜と長かった。むっちりっ子は抱いてもむちっとしていてかわいい。かわいく笑ってくれるし。なんだかおっとりした優しい男の子だった。愛されてるって感じ！　でもしば〜らく私が抱いていると、胸に顔を押し付けては「違う！　ママと違う！　巨乳がない！」って泣き出すので、くやしく思った。チビラが武豊に似ているので（大きさ以外）、武ファンのしーちゃんにルックスをすごくほめられた。

そしてチビラは他の赤ちゃんをパパとママが抱っこしていると「あれ～?」という顔はするけど、泣きはしない。でもその「あれ～?」の顔、みけんにしわがよっていて、すごくおかしい。

そのあとは、家族でいつもの髙島屋に行く。

慶子さんのお誕生生プレゼントを選んだり、書店に行ったり、デジカメを見たり、マーガリンを買ったり、いろいろして走り回った。

この家族、昔の日本の家族みたいだと思う。休日はいつもデパートに行っている。でも、私が出産前にいちばん嫌っていた「苦手な感じの家族」には自分がならなかった、それが救いだ。

苦手なのは「デパートが混んでいたり、思い通りに動けずにお父さんいらいら、お母さんギスギス、子供はいやなうるさいガキ」という家族……でもこの場合責任がいちばん軽いのは子供だということが、子供を持ってますますわかった。子供は自分が無視されていると、静かになりすぎるか、うるさくなりすぎるのだと思う。家族で出かけるって、すごい手間だし、思う通りには絶対にならないし、したいことの半分もできないけれど、だからこそ、大事だと思う。ままならないことのよさを知るというか。そこは、動物を飼うのとなにも変わらない。

今は道で人にぶつかっただけで殺されるかもしれないような時代だが、みんなほんとうにそんなことでいいのか？　そんなことで人生が終わっても？　などというテーマで、今、小説を書いています。

昔、高級寿司《すし》屋にいけすかないうるさいガキがパパとふたりで来ていて、マグロだとかウニだとかをがんがん食べて大騒ぎしていたのでむかっと来たが（貧乏な幼少時代だったのでひがんでいます！）、最後に「お寿司おいしかった……でもパパ、いつママに会えるの？」って泣き出してしまったので、カウンターにいた全員が「かわいそうに」という気持ちになった。ああいうはしゃぎ方には、ただハイになっている場合以外は、日ごろのなにかがあるのかも。寿司ではおぎなえないなにかが。

夕食はみなで中村屋のカレーをいろいろ食べ、「やっぱりインドカリーがいちばんおいしい」という重大な結論に達した。

3月23日

陽子ちゃんと大橋さんが手伝いに来てくれたので、引越しの準備をする。なっつとふたりでせまい部屋の中、もくもくと荷物をまとめる。なんか同棲《どうせい》生活の終わりのような風景であった。「微笑《ほほえみ》がえし」を歌いだしたくなりましたね。おそうじをしてくれている大橋さんがだんだんこなれてきて、楽しい冗談を言ってくれるので、みなで和む。もしかして、私の昼間に欠けていたのは人間関係だったかも……だって、いつでもひとりだったから。自営業の悲しみで。

今はにぎやかで、人がいるわずらわしさよりもほっとすることばかりだ。

私はサロン的なものが大嫌い（だってほかにすることがいろいろあるんだもん）だけれど、こうやってわいわいと家にいるのが手伝ってくれる人たちだったら、幸せだし、仕事はうんとはかどるなあと思う。

今日のヒットは「目の見えないお年よりのおうちにお手伝いに行って、『大橋さんはどんなお顔なのかねえ』って言われるから、『それがね、すーごい美人なんですよ』って言っておくことにしてるのよ」っていうのだった。

夜はフラ。

クリ先生がいつもよりもたくさん踊れるようになって、回復してきてほんとうによかったと思う。クリ先生のゆったりした美しい踊りは、この学校全員にとっての大切な宝ものだ。

それにしてもたいていの医者って、責任取れないからって、言葉の力を悪用しすぎだと思う。私も股《また》のじん帯が伸びて歩けなくなったときは「全治は三ヶ月だが、そのあともずっと痛いし、いためやすい。一生そうかもしれない」って言われて、すごくショックだった。でも驚異の回復力とロルフィングで、半年で復帰した。もちろんかばいながらへなちょこフラでごまかしていたので完全復帰は最近だが、一ヶ月で歩けたし、痛みなんてもうほとんどなくなっていた。人間の治りたい力を、あなどってはいけないと思う。そのときアカシックレコードのゲリーくんが人づてに「彼女は完全に回復する」って言ってくれた言葉のほうが、どんなに力になったことか。不安になるとその言葉が私をはげました。

そしてサンディー先生はほんとうにマヌメレ（歌う小鳥）という名前にふさわしく、歌を歌ったあとの笑顔はいつもよりも百倍輝いている。この人はただひたすらに歌い、踊るために生まれてきたんだな〜って思った。あと先生を見るといつでも後ろになんとなくすごくきれいな真っ白い馬が見えるんだけれど、あれは、どこの馬？　ハワイ？　レムリア？　神秘的だ……。っていうか、見える私が心配だ。

慶子さんをふくめ、お誕生日のふたりをみなで祝ったら、ふたりとも泣いちゃってかわいかった。さらにみんなもらい泣きまでしていた。集団の力はたいてい悪いことが多くて、こういうすばらしいほうの力って、なかなか見る機会がないし、見てもおそろしくうさんくさい場合が多いけれど、ただ踊りを通じての集いだからほんとうにただただだい力なのだ。

ほんと〜うに、股のじん帯を理由にやめなくてよかったと思う。下手だが……でも、人前の仕事が多い私は、体での自己表現をもっと学んだほうがいいので、すごく助かっていると思う。

帰りに美人の小川先輩がその美しい顔色を全然変えずに堂々と「今日、みんなと寄っていきたいけど、さいふにお金が428円しかないから帰るね〜」とみょ〜に正直に告白していたのですごくウケた。あゆむ先生がその大きな胸でしっかり止まるストラップなしのトップスを着ているのを見つけたときも淡々と「転んだふりしてつかまってガバーってやろうかな……」と言っていた彼女。

せっかく近所だから、と楽しくしゃべりながら車で送っていった。いつも帰り道は小川先輩の家の前を通るので、心の中でお〜い！　と呼びかけています。

3月24日

寒い、寒すぎる！　コートをみっちりと着込んで、英会話に行く。

なぜか先生の家のわんちゃんにすごくモテた。ひざから決して降りないし、くっついて離れないし、最後には求愛された。

今、看病をしているからあまりにも犬に対する愛があふれすぎていて、伝わるのかしら……それとも、単に犬臭い？　いや、今までも先生の家には何年も行ってたけど、こんなことはなかった。

少なくとも人間にはモテないことは確かだ。おかしいな、お父さんのお見舞いにも行っていたし、赤子の世話もしているのになあ。

3月25日

実家に行ったら、姉がよれよれに疲れていたが、すごい量の肉をじゅうじゅう焼いていた。

そして最後にいちごの練乳がけを鉢いっぱいに盛ってきて、チビラには小さく切ったものを一皿くれた。

私がお茶を入れに行き、ヒロチンコが瀕死《ひんし》の猫のお見舞いに二階に行き、母はタバコを吸い、姉が洗い物をしていたほんの十分の間、奥の部屋には歩行器に乗ったチビラと80歳の父がふたりきりだった。

私がお茶を持って奥の部屋に戻ってみると、いちごが一個しか残っていなかったので、すかさずそれを食べながら、ふたりを見てみた。なんとなくふたりとも口や服が赤い汁で汚れていて、にやにやしている。

私「お父さん、いったいいちごを何個食べたの？」

父「いやあ、まあ、けっこう食べたよ。」

私「チビちゃん、いちごをどれだけ食った？」

チビ「にこにこ」（口から赤い汁をたらしながら）

いったい、どういううちわけで胃の中に入っていったのだろうか。ふたりの表現は全《すべ》て霧の中のよう、そして真相も永久に霧の中に……。

そしてふたりとも妻や母に「あとで下痢《げり》するよ！」と言われていた。

3月26日

やっとトイレの水の流れが悪いのが直ったので、苔《こけ》など買ってきて飾る。

あとはスーパーに寄って、小さいメンチバーガーとか、野菜とか、サーモンとか。

陽子と食べていたら、そこにマヤちゃんが鮨《すし》を持ってやってきた。みんなで鮨と私が作った玉子焼きを食べながら、ものすごい具体的なエロ話をする。マヤちゃんはなにかと具体的なので、おかしかった。なんだか自分が幼稚園児に思えるほどものすごい、体験したことがないことはないのではないか？　と思えるほどの、ふたりのやりとりだった……。

そして陽子はガス台を買いに帰っていき、マヤちゃんにビールを出しながらサラダなんか作っていたら、ヒロチンコが帰宅。

どっしりと、堂々と奥に座っているマヤちゃん、前にはビール瓶がごろごろ。かいがいしくつまみを作って働く私、そして頭も低くひょろりと入ってきたヒロチンコ……どう考えても「いらっしゃいませ、奥に座っているのが主人ですわ」と言いたくなる絵面《えづら》であった。

マヤちゃんが「ラブ子は病気でも美人だね」といっぱいかわいがってくれたので、ラブちゃんも嬉《うれ》しそうだった。

夜はりゅうちゃんの店に飲みに行き、美しいきょうだいや春樹ファンのガクちゃんと親睦《しんぼく》を深めつつ、結子と曽我部さんと高橋恭司先輩とミカちゃんがいっしょに仙台に行ったすごい話を聞く。すごい組み合わせ！　隕石が落ちてきそう！

高橋先輩の写真、なんだかすごみがでてきた。かる～い感じなのに、枯れたすごみ。ちょうど、ほんとうにすごいやくざの人が、けらけら笑っていてやさしいような感じの、でも触ると切れるような、その中にもなんだか豊かな感じがするような、ああいう迫力が出てきた。私は基本的に「人生ばんざい！」みたいな写真が好きだけれど、先輩の写真は全然そういうのではないのに、ものすごくひきつけられる。男の深さを感じさせてくれるからだろうか。

店の人まで酔っ払ってきたころに帰った。

そして妻と子供の寝顔に涙……俺はおやじか？

3月27日

山西くんにチビラを押し付けて、仕事とたまっていた読書をする。

奈良くんの新しい本「ちいさな星通信」とってもよかった。ロッキング・オン的に言うとジャパンの手法がみっちりとつまっていて、雑誌のようであるが、奥深くできている立派な書籍。健ちゃんがジャパンに長くいたことを、すっかり忘れていたが「人に歴史ありだ」としみじみした。

自由自在な絵、ちょっとかまえている写真、そして真剣でかたくて愛くるしいような文章。奈良くんの全てがそこに！

奈良くんの情熱を奪っていくもの、それは私も戦っているもの。今、この世の中からも奪われつつあるもの。創作にたずさわる人たちは、ますます本気にならなくちゃ、という世の中だと思った。

夜は、松陰《しょういん》神社の、看板のない謎《なぞ》のカレー屋さんにみんなで行く。ていねいに作ってあっておいしかったし、店がもう、雑誌に出てくるようなすてきな内装。ラッシーの配分も完璧《かんぺき》。もうちょっと彼らの心が店というものに対していろいろこなれてきて、あの静けさのままに定着するといいなあと思った。

そしてにわかカレー評論家になった私は、メシカフェでカレーのはしご。チビにはチョコとアイスを。チョコを食べて「うめ～」と満面の笑顔を浮かべる彼だった。

しかし！　これがまたうまかった！　すごく料理上手、この店の人。

みんなはお茶とデザートだけだった。なんで野郎3人といて、私だけ二軒目でも飯食ってるんだろう……。

3月28日

花見……だが、遅刻して店に直行したので、花は三分ほどしか見なかった。

久しぶりの鴨《かも》ちゃん、彼氏がかわったせいなのか、私のいちばん好きな顔の鴨ちゃんに戻っていた。いっしょにバリに行った頃の、自由な感じの美人さんだった。

チビラくんが、マーちゃんの妻の携帯で自分の指を激写していたが、できあがった写真はなんだかわからないが「おいおい！　どこを撮ったの？」っていうすごい内容に。こんなエロい写真が携帯に入っててどうする？　っていうような写真ばかりでした。天才？　将来はアラーキーに？

てるちゃんのトークにまたも爆笑する一同だが、誕生日はチビラと同じ……。やっぱりお笑いの道に？

帰りは巣鴨で濃厚なラーメンを食べた。ラーメン屋の近くにある陽子ちゃんの新しい部屋……マンションは築三十五年で、真下はパチンコ屋、駅からほど近く、ななめ前はでっかいソープランド。ううむ、大人の女……。

3月29日

ラブちゃんは血液検査に。

抗がん剤はつらそうだが、とりあえず続けることはできそう。でも全然効果はないみたい。迷いどころだなあ……。これ、人間でも迷うんだろうなあ。店長なんか、一クール目に効果が出たっていって、二回目飲んだらがっくり来てしまったしなあ。

病院に行くたびに現実にがーんと打ちのめされるところも、人と同じだ。認めたくはないが、歳《とし》をとったラブ子には、うちに赤ちゃんが来たことが耐えられなかったのだろうと思う。今も赤ちゃんと仲はいいけど、やっぱり彼が来る前は自分がいちばんだったからねえ。これは犬を子供と思って飼っていた私の責任だ。受け止めつつ、最後の日々を淡々と幸せに過ごしたい。一代目のワン蔵くんに比べたらここまでずっと愛され続け、おおむね幸せだったラブ子の犬生だが、比べてみるとやっぱりゼリ子のほうが、私が犬を飼いなれているぶんだけのんきで幸せだ。私も成長させてもらっている。動物たちと過ごすことで。

最近はいつでもマルランゴかジョンのCDを聴いている。ちょっと静か〜な気持になれるところが大切。しかしチビラがばたばたとはってきて、誇らしげにラジカセのスイッチをいろいろ押して音が消えるばかりか、そのスイッチ技によってすごく複雑な設定になっているので、元に戻すのが大変だ。なかなか通してじっくり聴けない。マルランゴ……こんなに好きな感じの音楽をやっている人が自分の作品を好きだなんて、ほんとうに嬉《うれ》しいと思う。みっちりと完璧に作りこんでいないで、ちょっと抜けた感じがあるのが、私にとってとても心地いい。ちょうどヨーロッパの心地よさかもしれない。ヨーロッパに行ってＭＴＶを観《み》ると、なぜかアメリカで観るよりもほっとするし、なじんで落ち着く感じがする。ちょっと泥くさいような、人間くさいような、せちがらくない感じが「ああ……音楽」って私には思える。ヨーロッパで聴きこまなければ、今ほどレッチリも好きではなかったかもしれない。なぜかイタリアで聞き続けて突然あのバンドのすごさがわかった私。別に彼らはヨーロッパ人じゃないのにね。

彼らのＣＤが聴きたいって数人の友達に言われたので、レオノールさんのサイトをリンクしました。これで、ここから買えるはず！

「トーク・トゥ・ハー」での彼女の演技はほんとうによかった。目覚めてからの、むき卵みたいなフレッシュな表情……衝撃的だった。しゃべっていてもいろんなところで「この人、ほんとうに才能あるなあ」と思った。

関係ないけど昔、ジュリエット・ビノシュさんと対談したとき、なんとなく若いのにおばさんみたいな持ち味があるな、と感じた。そうしたらのちに、おばさんの役になってから彼女はどんどん輝きだした。なんだか私は妙に納得した。カラックスの見ていた彼女はほんとうに幻想だったのだと思う。

3月30日

フラ。ビデオ撮りがあったけれど、ずっこけ踊りのままで参加して足をひっぱる。みんなの後ろで優しくカンニング踊りをしてくれているあゆむ先生が天使みたいにきれいでした。とても静かでやさしくて……。どこをどう見ても欠点のないそのスタイル！　脚が細すぎないところもきれい。案外ほんとうにきれいな人って芸能人にならないものなのかもしれないわ……。

マレーシアに旅立つ人あり、妊婦あり、ちびっ子あり、波乱万丈のクラスだ。今日共に踊った近所の美人さんは、なんと私の行きつけの文房具屋さんで働いていたことが発覚。すてきなTシャツ着てるはずだ……。タンタンくんのロケットだけがプリントされてた。おしゃれです！

そして列を変わるとき、美人の小川先輩は小さい声でドリフの音楽を口ずさんでいました。

3月31日

那須《なす》へ。朝、突然歯がでっかく欠けて、中野先生のところへ飛んでいく。「せっかく歯医者に来たんだから、少し痛くしよう！」って痛く消毒されました。でも思ったよりも軽い問題で、ほっとした。親知らずが半分くらいなくなったのかと思った。ふう……。

テンゲルというすごい施設に泊まる。だって、ゲルなんですよ、モンゴルの。ところが、やっている人たちがとってもまじめで優しくて、ほんとうにモンゴル好きで、手づくり感覚があふれているのに安っぽくなくて、晩御飯も野菜がふんだんで、朝ごはんもとってもおいしくて、露天風呂《ぶろ》もあるし、みなさんにおすすめしたいくらいにいいところだった。変な宿に泊まるよりもずっとすてき。ゲル内にはトイレがないのが衝撃的だったが、よく考えたら当たり前だし、すぐ慣れた。

夜中にお父さんがヒロチンコに「あんたはまたふとんをはいで！ ちゃんとかけな

さい」と突然親らしく声をかけたのがおかしかった。

4月2日

桶谷式《おけたに》マッサージへ。

細く長く出続ける私の乳……まだまだもたせることになり、なんとかまた二週間続けることができそうだ。マッサージのおかげだと思う。こんなに出続けるものとは思わなかった。今は昼ほとんど飲まないけれど、着替えとかしているとまるで痴漢のようにはあはあ言いながら、歩行器のチビラが口から先に走ってくる。急に思い出すらしい。

最近チビラは遊んでいて淋《さび》しくなると、走ってきてひざにすりすりしてくれる。か、かわいい……。私がその場にいないと、私のTシャツを洗濯かごから取出して、そこにすりすりしている。ど、どうしよう……。

目黒川の桜を一瞬見るけど、とてもきれいだった。桜の枝が川にかぶさっているのがみそだと思う。

夜はつまみを総動員して晩ごはんのかわりにする。

ほうれん草ともやしのナムルと、買ってきた海ぶどうと、鳥お好み焼きと、りんごパンケーキ。むちゃくちゃだ。

4月3日

一歳検診、最後の検診だ。これで育良も卒業ね、と思うとじんとくる。二人目をつくることはまずないでしょう、40歳の私……。

なぜか関姉妹が両方いて、華々しかった。ほんとうにすばらしい姉妹だなあと思う。私は今でも、あのくそ痛い陣痛の合間に、関さんのシルエットがドアのところに来るたびにほっとしたのを忘れられない。あと、産後のよれよれの時期に、歩けないことで自由に抱っこできないことを補うために関さん姉のところにインファントマッサージに通い、自分のほうが救われたことがいっぱいあるのも忘れられない。あのころは常に貧血だったなあ。

遅刻したので最後になり、さらに遊びながら着替えて帰ったので、すごく申し訳ない感じ……受付のお姉さんがボールペンの頭のところをすごいスピードでかちかち言わせてプレッシャーをかけてきたので、どきどきした。どきどきすることが多い今日この頃だ。でも最後にはそのお姉さんはそのボールペンをチビラに貸してくれたのでほっとした。

夜は久々に松本さんに会いに行く。パパはツアー中で、みちよママとなつかしいふたりのちびっ子がいた。うちのマンションの、チビラと同じ屋根の下で育った子達だ。

遅れていったのにあつかましく豆乳鍋《とうにゅうなべ》をごちそうになった。すごくおいしくてうちの親子三人、ばくばく食べた。チビラがいちばん食べた。

相変わらずママは美人ではっきりしていて、こんな人が家に待ってたらいいだろうな〜、とうらやましくなった。ほんとうに、奥さんほしいです。

いつのまにか上のお姉ちゃんがすごく大人になっていたのでびっくりした。もう五歳か〜！　いつも私を見てはうえ〜んと泣いていたのに（いつでも車の中で寝ていたのを起こされて不機嫌なときに、エレベーターで会ってたから）、今はいろいろ優しく気をつかってくれたり、話しかけてくれたり、にこにこして遊んでくれた。下の男の子は優しくて元気でチビラにいろいろおもちゃを貸してくれた。そしてなぜか「いしゃ〜きいも〜」がこわいらしく、聴こえてきたらお母さんにくっついていた。そして「やちいもこない？」と確認していた。かわいい……………。しゃべると大変だけど、うんとかわいい。きょうだいで遊んでるのもすごくかわいい。いいなあ。

下の男の子が「これ、パパの歌」と言いながらCDをかけたら、ママが「パパの歌はいいから、ビデオ観なさいよ～」って言ってたのがおかしかった。そんなときでもパパは「ええねん」って歌っていた。そしてエレキギターのおもちゃがあるのが、さすがだ！　と思った。

4月4日

寒いじゃん！　息が白いじゃん！

しかし！　寒い中をしーちゃんがよーたんを抱っこひもで抱えたまま、遠い道のりをたずねてきてくれた。しかも、予約から一年待ったという日本一のロールケーキ「フロール」を持って。なんと太っ腹な！

しーちゃんは十二年前、ラブ子がうちにはじめて来た日に、ラブ子を見に来てくれた。

そして今、しーちゃんは廊下で苦しそうに寝ているラブちゃんをなで、よーたんを見せながら「ラブちゃん、会えてよかったです。お大事にね。がんばってね。これよーたん。私が産んだの」とゆっくり話しかけていた。その話しかけ方が、ほんとうに普通に、ちゃんとしていたので、すごく感動した。動物にためしに話しかけているっていうんじゃなくて、言葉を伝えようとしていた。絶対に伝わったと思う。

さらに、そんな寒い中をKさんが北海道みやげを持ってきてくれた。すごく珍しいバームクーヘンとか、長いもの焼酎《しょうちゅう》とか。今日はお菓子長者だわ。さっそく食べてしまった。

そしてチビラをちょっとあずけて、仕事をする。

Kさんの妹さんが一歳ちょっとでもうしゃべるようになり、おしめをかえると「どうもありがとう」と言ったというのが、すごくウケる。それはそれでちょっと困るかも。

夜はウルルンを観ながら、しみじみとじみ〜なごはんを食べる。

梅干ごはんとか、蒸したにんじんとか、豆カレーとか。おかげで冷蔵庫の中がすっきりした。そしてフロールをばかすか食べて、大満足する。

4月5日

マッサージを受けに関さんの家へ。

なんと関妹さんもいて、豪華なふたりマッサージを受けてしまった。妹さんには乳マッサージでなんとか乳が出るようにしてもらった過去がある私、なんだか懐かしくて乳が出そうでした。まだ出るんだけれど。

指をみっちりもんでもらったら、なんだか指が長くなったので、嬉しかった。

関妹さんがチビラをとりあげてくれたんだもんな～……すごいことだよな～。私よりもほんのちょっと先に、私の股《また》から出てくるチビラくんの顔を見た人なんだよな～……。そんなこと毎日してるってすごい職だな～。

そしてチビラくんはその豪華で懐《なつ》かしいメンバープラス陽子ちゃんに囲まれて、大はしゃぎしていた。止まらない勢いで、黒五という蒸しパンみたいなのをひとりでがつがつ食べていた。

そして関姉さんの魔法の手で、リンパが腫《は》れに腫れて二重あごになっていた私の首がすっきりとなった。痛みもぐっと和らいで、生きているってすばらしい！　っていう気分になった。もう喉《のど》が痛くて鼻まで腫れていたのだ。

「だってリンパが『あたしを先になんとかして！』って言ってたんだもん」とさらりとおっしゃるので、感動した。魔法の手は、いつでもすごく熱い感じで、かなり強く押されても全然痛くないのだ。

久しぶりにすっきりとした気持ちで自由が丘でそばを食べ、本をいっぱい買って、ほんとうに健康って大事だな、と思った。健康であるだけで、なんだか意味もなく幸せになるのだから。

そして衝動買いした「スピリチュアル・マーケティング」というVOICEの本がとてもいい本だったので、なんとなくさらに得した気分になった。

癒《いや》された一日だった……。

4月7日

「Pre-mo」の取材で、ウェスティンへ。

出産についてのインタビューでいろいろ話をした。とにかく自分は恵まれていたなあ、と思った。先生は暗いことを言わないし、助産婦さんたちがみんな明るくてしっかりしていたので、不安なんか全然なかったし、こわいというのもなかったからだ。

私が能天気だっただけかもしれないけど。すごく痛かったし時間がかかっておいおい泣いたけど、こわくていやで泣いたってことはなかった。

それにこんなにかわいいものが出てくるなら、痛いことなんかどうでもいい！　と強く思う。だって、まだ見ぬ王子様なんかよりもさらにすごいことだよ！　自分と一生親しい人がもうじき出て来るんだよ！　すごいよ！

働くお母さんって大変だよね、という話もして、靴下など買い物もして、おかずも買って、せいろも買って、あわてて帰る。

そしてまだまだあるにんじんを蒸して蒸して蒸しまくった。甘くてとてもおいしかった。マヨネーズとタルタルソースときび酢と塩ポン酢を絶妙に混ぜたソースがきいた。

4月8日

どうしてもしたりない取材をしに、沖縄へ一泊で！

初めての子離れ旅行で、自分のほうが心配……。

しかし空港について松家さんと慶子さんを見たら、感覚が戻ってきた。さらに那覇《なは》に降り立っておじいを見たとたんに、しゃきんとやる気が出てきた。

ホテルにチェックインして、そのまま取材へ。

ぼくねんさんのギャラリーに顔を出したら、なぜか新飯田さんにばったり！　そしてなぜか松家さんと新飯田さんは同じ小学校の同じ学年だったことがわかった。そんなこととってあるんだなあ！　ぼくねんさんとちょっと電話でしゃべって、もし明日晴れて、会えたら会おうね、と言い合う。この漠然としてる約束が沖縄のいいところだなあ。天気が決めてくれるっていうか。

取材の一軒めは小さなイタリアンレストラン。若い人たちがやっている感じのいいお店だった。私の小説の設定では店の入り口にがじゅまるがあるのだが、そのままに店先に大きながじゅまるの木があったので、じつに幸先がよかった。それがまた、形といい、あり方といい、すばらしい木だったので、店全体が木陰のように感じられた。近所にこんなお店があったらなあ！

風通しがよく、手づくりっぽくて、若い男の人たちが力を合わせてやっていて、小説とはちょっと違う感じだけれど、すごく参考になった。

二軒目は弱気なお兄さんが小さくやっているバーへ。キャンピングカーをお店にして、音楽をかけて、かわいい感じだった。彼は別にお酒が好きじゃないっていうのに笑ってしまった。なぜバーを???

三軒目は老舗《しにせ》そしておじいの指定食堂「うりずん」へ。いつ行ってもいる常連さんのおじさんもちゃんといるし、土屋さんはにこにこしているし、孫は別館を走り回っているし、泡盛はおいしいし、食べ物は最高だし、文句なしだった。土屋さんが誰にでもほんとうに優しくて、その優しさがうさんくさくなくて、ふつう〜でのんびりしていて、どこか調子いい感じみたいなのもあって、泣かせた。しゃべっていることを聞いていると、ひとつもうそを言ってないし、思ってないことをひとつも言ってない。かかってきた電話にもゆっくりと出ていて、じっくりと話し込みながら「少しでもつまんない気持ちになったらここへ来ればいいよ」とか言ってる。でも社交辞令じゃないの。そしてゆっくりとしゃべったその電話を切ったあとに私たちに微笑《ほほえ》みながら「昨日は飲みすぎてしまってぴかぴかの一年生(お孫さん)の入学式にも遅れてしまったよ!」ってにこにこしてまた飲んでいる。これって……人生を生きるための秘訣《ひけつ》だなあと思った。

そして慶子さんがおじさんキラーぶりを発揮してさまざまなおじさんを翻弄《ほんろう》していた。となりの席の人が突然スタッフ(多分音楽業界の人なので、ライブ関係の)にTV電話をしだしたので、その知らないスタッフの人とあいさつしあう。文明開化だ!

そのあと「ああいうことはできるが、きっと電池がすぐなくなり、アンテナも少ないに違いない」などとさんざんFOMAをけなしていたら、最後に彼が「そんなことはない、今、FOMAはすばらしいのです」となぜかFOMAの営業をしていったのでおかしかった。でもTV電話は背景が映るし、いろいろまずいよね～！　という話でみな落ち着いた。「今、アラバマ！」とか言ってごまかしてもね～……。

そのあとは赤いランプの下でお姉さんたち……とぎりぎり言える年齢のお姉さんたち……が誘っている宿のあたりや、桜坂散策ののち、ゲイバーなどもかいまみつつ、ほとんど会員制のすてきなバー（こっちをやっているキョウヒコくんはお酒と音楽がほんとうに好きそうだった）で飲んで、屋台餃子《ぎょうざ》など食べつつ帰った。

充実した一日だった。

4月9日

お天気になった！　のでとにかく取材を続ける。釣りに行くぼくねんさんたちとの合流はならず、残念！　まあ風が強いのでしかたなし。

山の上のピザ屋さんへ。古い民家を改装してあって、遠くに海も見えて、景色が最高だった。そしてアメリカ人でいっぱいだった。おそろしい量のピザだったけれど、みんなでわかちあって楽しく食べた。

私は道がかーっと照らされていて、草がむっとするほど青くて、車の中が涼しいあの感じになるだけで、元気になってくる。

水族館をみっちりと見て、魚のあまりのかわいさにもう魚が食べられないかもと思いつつ、まぐろやかつおを見ると、味がしてくる不思議……。アナゴのかわいさとか、ジンベイザメの大きさとゆったりさ、えさを食べる勢いなどに胸を打たれた。最後にマナティを見たら、メスはうんこをしながらおならを出していた。そしてオスのマナティたちは女のほうのおりをぎらぎらと見て、チンチンを出して自分でごしごしごいたり、口に入れたりして、もうやりたいほうだいだった。

松家さんが「どうしてこれを人魚と見間違えたんだろう……」とつぶやいていたのが印象的だった。

お天気なので浜で珊瑚《さんご》など拾いつつ、ちょっと海の水に触る。もうすっかり温かい。

たんかんを買って、うりずんの姉妹店で最後のそばを食べ、夜九時の便で帰る。

松家さんも慶子さんもその優秀さを私の小説のためだけに二日間使ってくれた。すごいことだ。なんだかバンドをやっている喜びを感じる。ひとりで書いている気になったら大間違いだ。

そして、今回もおじいにいっぱい世話になってしまった。おじいがいなかったら、ここまできちんと取材するのは無理だっただろう。一泊なのに、全《すべ》てのことがちゃんとできた。運転手さんまでかねて、長い距離を運転してくれた。あんなにすげ〜写真を撮る人なのに、写真以外の用事でいっぱい時間を使って助けてもらった。

もうおじいに関しては愛しているという以外の言葉がない。ほめる言葉さえ足りなく思えるので、ほんとうに言葉がない。おじいと過ごす時間の一瞬一瞬が人生の宝物だ。いつでも健康で幸せであってほしいと祈るだけだ。

4月10日

夜中じゅう、淋しかったチビラくんがぎゅうとくっついてきた。そして朝起きたらにこにこしながら私に「マンマンマ〜」と言っていた。これは、もうしゃべってるかも。

あと猫を見て「ニャ〜！」と言うのも絶対わかってやっている。面白い。

みずぼうそうの注射に行って、午後はラブ子の抜糸。もう、誰がどこの病院に行くのかわからなくなりそう。母も入院してるし。電話の履歴は全て病院……。間違ってラブ子にみずぼうそうの注射しそう。

しかし病院で並んでいるあいだにチビラが突然発熱。びびったベビーシッターのヤマニシくんから電話がある。気の毒だなあ……まだ子供もいないのに、あの急な発熱のスリルをひとりで味わうなんて。でも頼もしく行動して待っていてくれたので、こちらは安心だった。

とりあえずラブ子の抜糸をしてあわてて帰り、病院に電話したら先生が戻ってきていたので、薬だけもらいにいく。ついでに前にもらって残っていた座薬もいれる。チビちゃん……かわいそうに。ママが帰ってきて気が抜けたのか、注射のせいか？やがてハルタさんもやってきたので、おみやげのアイスを食べたり、チビラにも食べさせたり。そして交代で焼肉を食べに行って、交代で看病する。途中しばらく焼肉屋さんで席をキープするためにひとりになっていたハルタさん……座っている姿がとてもかっこよかった。ひとりお座敷焼肉の女って感じで。

焼肉屋さんでいつもいっしょになる6歳のゆうすけくんに「うちの子、熱が出ちゃった」と言ったら、「そりゃたいへんだ」と大人っぽい返事が返ってきた。そして

「熱が出たときは、おかゆよりも、かき氷が食べたいの。そうしたら37度8分が37度6分になったの」とザ・現役子供さんの貴重なアドバイスももらった。

夜中じゅう、チビラくんは乳を飲んだり腹に乗ってきたり甘えてきたりした。この熱いのにくっつきたいというのがかわいい感じだった。そして全身がホカロンのように熱かった。こっちは肉で体力をつけておいてよかった〜。途中りんごジュースも飲んだりして水分を取っているうちに、朝になったら熱が37度台に下がったので、親もやっと寝た。

4月11日

看病のための日曜日。でも、その覚悟もはずれてチビラくん絶好調！

やっぱり水ぼうそうの注射が原因だったか。ほとんど昼寝もせず大騒ぎして遊んでいた。

子供の熱って、すごく高くてぐったりしているときは「神様！ なんでもしますから この子の熱を下げてください！」っていう気持ちになるのに、さがると「あれ、熱あったっけ？」って感じになって面白いくらいだ。本人もそういう感じなんだろうな。

ほんとうは実家と母のお見舞いに行くはずだったけれど、大事をとって静かに家にいる。

姉が「今夜のために死ぬほど買ったナムルとラム肉をどうしてくれる！　肉はたれにつけて来週までとっておくけど、腐るかな～？」と言っていて、こわかった。

そして「しかたなく朝も昼も夜も、パンに乗せてまでナムルを食べていたら、すごくたくさんウンコが出た」と言って、感謝された。

4月12日

表参道に新しくできたＳＩＸの姉妹店（いや、本店なのか？）へ。

自由が丘にある、いつもノートなど買いに行く大好きな文房具屋さんなのだが、なんとフラがいっしょのアヤコさんが働いていることがわかったので、うきうきでかけた。広々としていて、とてもいいお店だった。ノートマニアの私はノートをいっぱい買い、写真絵本も買った。アヤコさんは今日も京美人だった。

帰りに交差点のところでお茶していたら、なぜか土器さんが娘連れで交番にかけこんでいる。びっくりして声をかけたら、単におじょうさんがおまわりさんの友達だというだけだった。毎日あいさつしてから学童保育へ向かうのだそうだ……。

土器さんに「まあ、ノーブルな顔！」とほめられたチビラくんだった。そしておじょうさんとそのお友達にもモテていた。

クレヨンハウスって長くいると具合が悪くなるのはなぜ？　と思いつつ、お昼を食べて、飯野先生のものすごい黒炭の絵本を4巻ぶっとおしで読む。なんだか感動した。

あんな楽しそうな仕事があるのだろうか？　というくらい楽しそうに描いていたから。

MHTに寄って、へとへとの自分を癒すためにグリーントルマリンを買った。

そのあと、ちょっとだけメディアトールという知人がやっている宝石屋さんに寄って美人の有紀さんにチビラを見せる。そしてまたもトルマリンでできた、ふざけたドラゴンのネックレスを買う。辰年だし！　と思い。今日は私のトルマリン元年だな。これまで一回も好きと思ったことないのになぜ。

4月13日

フラ。先生がレコーディングでお留守なのに、みんな全然だらけないし楽しそうで、いつもの雰囲気。ただひたすらに踊り、笑顔で別れる。しばらくお休みなので、会えないのが淋しいね〜！　なんて言い合った。みんな、踊りのうまさに正比例して美人になっていくので、なんとお得なダンスだろう、と思った。とりあえず私も美人になろうっと……。

風邪気味の人がいて、風邪の話題をしていたらあゆむ先生が色っぽく「うつして〜！　私、風邪って大好き！　体に熱がこもる感じがすごくよくない？　あの感じが大好きなの〜」と言っていて、目からうろこが落ちた。そういう考えもあるのね！

4月14日

いつかこんな日が来るとは思っていたけれど、ついに慶子さんが辞《や》めることになった。

もちろん人が辞めるときの常として……つまり、それぞれに理由はあるとしても、「死ぬ」と「外国に嫁ぐ」と「天職につく」以外の理由だったら、問答無用言い訳なしで「ここで働く人生ではだめだった」ということ、ほんとうにしたいことがここにいることではなかったということだから(人は、ほんとうにしたいことだったら、どんな理由があってもなんとかするものだ)、永遠にここにいなくてはならない私としては、いつだって傷つきはするのだ。その傷が毎回重なって今ではもう免疫《めんえき》もできていたので、わりと大丈夫になってきたみたいだ。

上司として、女として、人として、いろいろ悔しいこともあるし言いたいこともあるが、ぐっと飲み込んで男らしく見送って幸せを祈ってあげるのが、大好きな慶子さんがこれまでしてくれたたくさんのことへのお礼だろう。お互いに何も言わず、相手の幸せを祈る、これが全て、これができるかどうかが、愛情の全て!

あと数ヶ月、楽しい思い出をつくることに専念することにする。ハルタさんともいっぱいそういういいふうに話し合う。

もう、誰になにを聞かれても、いろいろ言わないようにしようと思う。ハルタさんと陽子にだけはちょっと気持ちを話した。それで充分だ。

働いていくことって、ほんとうに楽しいけど、大変だ!

でも気持ちを切りかえて、新しい、まだ見ぬ時代へと向かおう。

とりあえず忙しさとまわりの病人の数がマックスである今、このことで、なにか大切な流れのようなものをとぎれさせないようにしよう！　と思う。

「こんな人、いない〜？」と私と全然違う「語学、IT、金融系」のいとこに電話したら、「こんな人」は今、まさにバカンスでバリに行ってることがわかったので、帰ってくるまで保留になってほっとする。今は沖縄の小説書かなくちゃ！

大雨の中をホメオパシーに行って、菅原先生にいろいろ処方してもらって、ヒーリングも教えてもらって、楽しく子守をしつつ話した。菅原先生はほんとうにあたたかい人だと思う。私がいろいろ無理なお願いをしても、ちゃんと考えて人として対応してくれるからだ。いいお医者さんの要素をみんな持っている人だ。

帰りは野方のカレーを食べて帰ってくる。

変わらずサラダもカレーもデザートもおいしかったし、店の人たちも生き生きと働いていた。お店ってたいへんなものだって知っているけれど、彼らはとても明るくてまじめでたいへんさを感じさせない。ホワイトデーのチョコレートまでもらってにこにこして帰る。

4月15日

仕事部屋からトランクルームへの引越し。なっつが担当してくれた。なっつのお昼に合わせて、松陰神社の絶対に名前が覚えられない、しぶいカレー屋さんに行く。今日のカレーはこのあいだのカレーよりもぐっとおいしかった。このあいだもおいしかったけど、具の好みで今回のほうに軍配が！　というのも、ここは週がわりで毎日一種類のカレーしかないのです。

チビラにもいっぱい食べさせて、ラッシーも飲んで、花や本を買って、引越し現場でみなさんにごあいさつをする。ふう、これで次の引越しまで一安心だ。家で待機していたら、案外早く終わったので、夜の焼肉までまったりと過ごす。

そして時間が来たので健ちゃんの待つ焼肉屋に急ぐ。健ちゃんとは長いつきあいだが、そして今までに百回以上は待ち合わせをしているのだが、絶対に遅刻してきたことはない。あの忙しさでそれは、すごいことだろう。そういう小さいことで、人の信頼とか緊張感は生まれるな、と思い、見習うことにする。いつも遅刻さんの私……でも昔、それで怒られて素直にあやまったことで、すばらしい人だった故ミナコサイトウと仲良くなったから、遅刻、いいこともあるかも。

いろいろしゃべりながら、肉を焼く。

息子さんと奥さんのすばらしい演奏をネットで見せてもらう。ふたりとも舞台ではきりっとして、店にいるよりもずっと生き生きしている。両立は大変だけれど、世田谷のオアシスを続けていくのもこれはこれではかりしれない大切なことだし……若さでがんばってほしい！　この辺の人たちは、落ち込んだり、人が死んだり、つらいときにあのお店に行って、その家庭的な雰囲気にどれだけ救われているだろう。あのお店を続けることで得られる財産のようなものは、必ず演奏にも生きると思う。彼らが残さなくてはこの世からなくなってしまう民族楽器たちだ。かげながら応援したい。音楽に詳しい健ちゃんのインタビューで、さらに息子さんは幸せそうに話していた。

このあいだおじょうさんとお母さんが選んでくれた韓国の王子様みたいな服をチビラに着せた写真を見せる。民族衣装を着る機会がとても多い彼……。ふだんの服よりも似合うのはなぜ？

「どっちの料理ショー」で焼いた豚丼《ぶたどん》が勝つところを、店の人全員が本気で見ていておかしかった。おじさんは「あたりまえだよ！　焼いてるもん。肉は煮ちゃダメだ！」ときっぱり言っていてプロだわ、と感動した。

4月16日

桶谷式《おけたにしき》マッサージへ。肉を食べ、風邪で熱もあり、超寝不足……どきどきしたけれど、斉藤さんの神業ですんなり乳が出てきた。「よしもとさんはおっぱいが枯れないね〜！」と感心までされた。一日一回の授乳になるときっぱり止まってしまう人が多いそうだ。でも、私はそれは、一回でもチビラがあまりに多く飲むせいではないか？と思う。体もあれだけきゅううううと吸い取られたら「まだ作っとこう」と思うと思う。

夜は母と小関のおじさんのお見舞いに、病院へ。

母はもうかなり回復し、すごく退屈していて「このまま帰ろうかな」とか言っていた。そしてチビラに喜び、早速お菓子など食べさせていた。おじさんも検査に飽きて、わりと元気そうにしていたのでよかった。

石森さんがすでに実家にいたので、みなで今日も韓国メシ。昨日テイクアウトしたキムチを入れて、はげしく石焼きビビンパを焼く。ホットプレートで作ったのに、すばらしいできだったし、とってあったというたれ漬けの肉も腐ってなかった。さらに、スープ代わり（じゃないよ！ってくらいに米や具が入っていたが）のサムゲタンまであった。腹いっぱい！

夜はゲッツ板谷さんの新刊「許してガリレオ！」を読みながら寝たら、ものすごく笑ってしまったので、子供を起こさないようにふとんの中で肩を震わせた。

4月17日

今日はヤマニシくんが平和にやってきた。チビラも熱を出してないし、途中私がちょっとハーブティを買いに行く余裕まであった。

「先週はこわかったねえ」と言い合う。

最近チビラくんは、おいしいものを食べるとにこにこしながら「うま〜い」と言う。そのうま〜いの声がなんとも言えず、かすれていて甘い感じでおかしい。しかも心底幸せそう……。

撮りそびれていたことで「24」を最後まで観《み》なくてすんで、なんとはなしにほっとする私たち夫婦だった。面白くないわけではないけれど、殺伐としすぎていて楽しめないのだ。

いやなら観なきゃいいのに……!

でもやっぱり気になるので、借りてみることにする。

4月18日

昼はもうお互いがいやになるほど赤ちゃんと遊んだ。でもちょっと仕事もした。

夜、ヒロチンコと「しんとみ」に和食を食べに行こうと思ったら、満杯だった。すごいなあ! みんなのグルメ道。

なので、高島屋に行ったら、もうどの店もいっぱい! 人々が次々に店をさまよって満席で断わられたりしていた。10分待ちで「文琳」へ。極意はいちばん安いコースを頼んでデザートをつけることと見つけたり。お店のかわいいお姉さんを好きになったチビラは首をぐる~と回して彼女を追っていた。そして来るとあれこれ話しかけているが、ほかのお姉さんに対しての態度と露骨に違うので、恥ずかしかった。

ちょうど半年くらい前、やっぱり日曜日に家族で外食して、本もいっぱい買って

「波乱がないのっていいなあ……」って思った記憶がある。

今は波乱万丈だが、たまにこういうなんでもない日曜日が来ると、ほっとする。

4月19日

お昼を食べにちょっと出かけたら、なんだかとんでもない渋滞だの予想はずれのことがいっぱい起きて、バイク便の人が来るのに間に合わなかった。連絡取れないしどうしようっていう感じであせった。でも、待っていてくれた！　ので彼におやつをあげました。

そういうことでいいのだろうか……？　いけないでしょう。反省します。

夕方はラブの診察。傷はふさがったけれど、もう抗がん剤はやめることにした。先生もそう言っていた。ついに末期医療に突入……淋《さび》しいけど、精一杯見送りましょう。お互いに幸せな時間をいっぱい過ごしたり、助け合ったりしたから、あとはよく見送るだけだ。

またも世田谷通りの肉まんが売り切れていたので、くやしがりながらごはんを炊《た》いて、てきとうなおかずで食べる。そして「ER」を観た。

仕事が忙しいので、さくさくと書いてばかりいる。

そういえば、病人がいっぱいで医療費が考えられないくらいかさむので、精神面からと思い「クリエイティング・マネー」と「スピリチュアル・マーケティング」をがつがつ読んで実践していたら、なんだかギャラがいい、感じもいい仕事がぞくぞくと入ってきた。

やればできる(?)!

その露骨な効果にびっくりした。精神の力ってすごい。

4月20日

チビラくん、歩行器の上で突っ伏してがっくり寝ていたのに、なぜか陽子が「こんにちは～」と入ってきたら、しゃきっと起きて「わーいわーい」と言いながらげらげら笑って走ってきた。好きらしい……。

そんな陽子にチビをあずけて、結子ちゃんの家に行った。

そしていろいろ相談した。人事のことなど、だいたい思ったようになっていたので、ほっとした。そして、ラブ子の去って行く時期についても、いろいろいっしょに考えた。いっしょに考えてくれたので、ちょっと泣けた。

でもおおむねげらげら笑いながら、世間話なんかして帰った。

おそろしい量のハヤシライスを作って出たのだが、チビラとヒロチンコがたくさん食べて案外すぐになくなったので、びびった。男の子がいての三人前ってこういうことか！　自分がつられて大デブにならないように気をつけようっと！　これで小学生とかになったらどれだけ食べるんだろう！

4月21日

このところ、いよいよラブの余命が見えてきているのに、全然泣く感じじゃなかったので、自分でもおかしいなと思っていた。

そして、今日は元たまの石川さんと対談をするにあたり、久しぶりにたまのCDをまとめて聴いた。「パルテノン銀座通り」「東京フルーツ」「いなくていい人」あたりがいちばん好きだった。そうやって考えると、どうも私は柳原さんの曲があまり好きでなかったようだ。もちろん好みですが。でも「オリオンビールの唄」はすごい名曲だと思う。

で、知久くんの作った「ぎが」というこれまたすごい名曲があるのだが、それはゴールデンレトリバーの歌で、たぶん、犬が死ぬという内容なのだが、よく考えたら、前にラブがぴんぴんしていたときにも、ライブで知久くんがやったとき号泣したような歌だった。

うっかりと今回聴いてしまって、おさえていたものがせきをきったようにあふれ出し、大泣き。泣いていたら、チビラくんがきょとんとしたままで拍手してくれた。多分はげましなんだな……。

おかげで対談の写真の目が大腫《おおは》れ。

私は石川さんはすごい人だと思う。人は、誰かが見ているというのがないとがんばれない弱い生き物だけれど、彼は自分で自分をすごく厳しい目で見ている。新しいCDは「チンポ」という歌声からはじまるすごいCDで、聞きとおすといろいろなことをし～んと考えてしまうような内容だったが、決して気のゆるんだところがない音楽だった。

突然段ボールとか、イヌとか、ああいう人たちが言いたかったことを彼は今でもしっかりとやっていると思う。そういうのをずうっとちゃんとサポートしているライターの近藤さんも筋が通った人だと思った。私にもちょっとだけそういうところがあるが、どうしてもそういうふうに、苦しく、でもうそをつけず、いろいろなあたりまえになっていることを疑わずには生きられない人っていうのがいてこその世の中だ。

奥様のRさんがしっかりと彼を理解していて、口当たりのいい人生を決してのぞまなかったからこそ、石川さんの表現がすべて結実しているのだろう。ただのオタク夫婦ではなくて、ちゃんと人生をかけているけど、しっかりと生きつくし、楽しんでいるのだと思う。

そして石川さんの住んでいる家は「幽霊の家」だったそうで、おじいさんが自分が死んだのを気づかずに家の中で普通に生活していたそうだ。事実は小説より奇なり。で、まだ生きていたおばあさんがあとから死んだら、ついでに（？）おじいさんもいなくなったそうだ。

書いてみるものね……。ほんとうにあることなのね〜。

桃代さんのかわいい繊細なゾウももらって、ごきげんで帰る。

一回泣いたら涙腺《るいせん》がもろくなって、たまにとにかく泣けてくる。鈴やんになぐさめてもらって、悲しいときは悲しいからしかたないと思いながら、たまたま用事で電話した原さんにまで泣き言を言って、寝る。

4月22日

そんなにしょんぼりしているのに、なぜ霊スポットに？　と思いつつ、餃子《ぎょうざ》スタジアムに行く。ビールを片手に片っ端から食べる。はずれも多かった。大阪の餃子がいちばんおいしかった。あと静岡。チビラくんはベビーカーにいたが、口から先にカウンターにのびあがって、餃子を食べていた。おかしかった。

ひとりで来ている人がけっこういたが、どういうことなのだろう？

まずナンジャタウンの入場料を払ってまで！

そして髙島屋に行って、デジカメを予約し、古奈屋さんのおいしいカレーうどんを食べ、お茶を飲んで、ああ遊んだね！　という感じになって帰宅する。こういう遊び方って、自分が子供のとき以来かもしれないな。

私が泣いてちょっとすっきりしたら、ラブまでちょっと具合がよくなったので驚いた。

4月23日

どうもサンシャインで霊をひろってきたらしい……ふたりほど。知らない女の人が夢に出てきた。ひとりは車に乗っているのに振りむいてじっとこっちを見ている、淋しそうな小太りの人だった。かわいそうな感じがした。もうひとりは今風のすらっとした人で、私が供養《くよう》にと花柄の服をあげたら、勝手に人のたんすの中を見始めたので「困ります」と言ったら、悲しそうだった。いずれにしても自分がどうして死んだのかわからないっていう感じであったが、「聞いてあげられないので」とはっきりと言ったら、去っていった。人間と全く同じです。

それはさておき、人事の問題が突然動き出す。ほんとうに流れるように動き出したので、待ってみてよかったと思う。次々に候補者が出てきたが、まだ会ってないし、どうなるかもいろいろ謎《なぞ》。しかしまあ、手ごたえと方向性が見つかったので、じっくりいこうと思う。

それというのも、外資系の女子ネットワークのおかげであった。ありがたい。みんな労を惜しまずに、私とその人たちに合う方向性をちゃんと考えてくれるので、そして断わっても怒らなさそうなさっぱり系の人ばかりなので、これも助かる。

ついになっつが肉まんを買って来てくれたので、なんにも食べてなかった私は喜んで食べる。チビラも食べる。食欲のないラブ子もあんまんをぱくぱく食べる。

夜はビザビへ。

健ちゃんの門出を祝して、健ちゃんにおごられながら（なぜ？）、束見本《つかみほん》を見る。かなりよさそうだった。

そして藤代冥砂《ふじしろめいさ》さんが奥さんの田辺さんを撮った写真集「もう、家に帰ろう」をもらったけれど、これがまたすんばらしい本だった。

世界中の独身女性が見るべき本だろう。

写真集としてではなく、本として、物語として、小説として、大好きな本だった。うなった。

私のしたいこともこういうことかも、と思った。ラブラブということではなくて、切り取ってみたらそのかけがえのなさに気づくということだ。

そういえば私は高橋先輩がみかちゃんを撮ったシリーズも好きだった。機嫌が悪い顔とかでも好きだった。どうしてかというと、男の人が恋人や妻を見る目って、なにか人類の普遍的に大切なものが入っている気がするからだ。

橋本さんの恐ろしい話を聞きながら見城さんのうわさをしていたら、なんと見城さんが入ってきたのでびっくらした。いっしょにお茶をした。ふだんはいろいろトラブルがあって陰口なんかたたいてみても、会うとその全身のすばらしいエネルギーというか、大きなオーラみたいなのにうたれて「いいなあ、見城さんって」と思う。

普通、自分が疲れて帰る途中でちょっとくつろごうと思ってお店に来て、仕事先の、しかもかなり面倒くさいことがしょっちゅうある作家がいたら「ああ、面倒くさい」という顔になるはず。でも彼は決してそんなことはない。そこがすごいなあ、プロだなあ、と思った。彼はもしかしたら文学界のプロじゃないかもしれないが、人を扱うプロなんだな、と思った。

マーちゃんのうわさ話をいっぱいしたので、フォローの電話を入れたら、逆に仕事頼まれた。でも面白そうな仕事なので、いろいろ聞いてみることにした。

健ちゃんが寄ってくれて、ラブを見舞ってくれた。健ちゃんが来たら、ラブはいちばん元気だったころみたいに、ソファーに乗った。もうソファーに飛び乗れない体なのに、がんばって乗ったので、きゅんとなった。そして健ちゃんが帰ってから、這《は》うように玄関に見送りに来て「帰っちゃったの？」という顔をしたのもきゅんとした。

犬ってすばらしいなあ……。

4月24日

おじいからもずくが届いた！　ナユタくんといっしょに海でとったそうだ。すごいなあ。

あまりにもおいしそうなので、半分凍った状態でちょっとだけ食べた。海の匂《にお》いがしてきて、すごくおいしかった。生き返るようだった。沖縄行きたい、今すぐに！　沖縄が大好きだった鷺沢《さぎさわ》さんのご冥福《めいふく》をお祈りする。面識はなかったけれど、すごく近いところにいた人だった。何人も共通の知人がいる。私もいつああいう死に方をしてもおかしくないし、誰もが「そうなんだろうな」と思うこの職業。だからこそ負けるもんか（なにに？）！　と思う。

でも彼女は負けたわけではなくて、きっと彼女にとってもう人生はここでいいというものだったのだろうと思う。

通販で買ったバラのドリンクも届いた。夢のようなピンク色の飲み物で、私の中で最近ちょっとはやっている。ダマスクローズドリンクっていうものだったと思うけど、定かではない……。ペリエで割るとてもおいしく、身も心もすっきりする感じ。

片岡くんが、元麻布で採れたたけのこをくれるというので、とても煮ているひまがない、と断わったら、なんと彼のお母さんによって作られたすごくおいしいたけのこ入りちまきを持って立ち寄ってくれた。ヤマニシくんとお手伝いさんの村山さんとぱくぱく食べた。

今日は食べ物運がいいみたいだ。

夜はクラス会。小学校のときのクラス会だから驚くよな〜。下町ってすばらしい。みんな変なところは変なままで、でも全然悪い感じになっていなくて、楽しかった。富樫さんがほんとうに変な目の付け所でいろいろなことを覚えているのもおかしかったし、彼女のすごくマイペースなポジティブ家族がみんなそのままなのも嬉《うれ》しかった。

佐久間さんが変わってないのもおかしかった。彼女を見るとなんだか皮膚のレベルで懐《なつ》かしい感じがするので、興味深い。だんごになってくっついて暮らしていたからだろう。赤ちゃんのなっつを見たことあるので、でかさにびっくりしていた。

浜もポン太も吉木さんも、いいところが全く変わっていなかった。いい小学校だったみたいだ。

そして、チビラは塩崎くんちのイタリアンを食べて、にこにこしていた。

団子坂下の塩崎くんのうちがイタリア料理の店になるなんて、びっくりだし、繁盛《はんじょう》しているのもいい意味でびっくりだけど、よかった。

4月25日

「24」をやっと見終わる。蒸しなおしたおいしいちまきを、今日こそちゃんと食べながら。

暗い……そして、人物に対してちっとも愛情がないドラマだ。やっぱり「この人を失うのがこわい」という大前提があってこそ、ドラマは名作たりうるのではないだろうか。惜しむべき人が亡《な》くなったり裏切ってこそ、ショックが深くて感動するのではないだろうか。まあ「情はなくどんどん進みどきどきさせることを大事に！」というこの創作手法も、中途半端なメロドラマよりはずっといいと思う。

でも、すごく疲れたのに実りがない気がして、私もヤマニシくんにならって2は観《み》ないことにする。

4月26日

ついに机を購入した。

というのも天板だけ買おうと思ったら、案外みんな売り切れていたり、節があったりしてむつかしかったから。もう天板にくわしくなってしまったよ、調べすぎて。そしてこの世の中には天板だけ買いたい人が星の数ほどいることにもびっくりした。

だって「一枚板ドットコム」があるなんて、想像したこともなかったもん！

一枚板だけずらっと売っていて、ずっと見ていたらなんだかエロサイトを見ているようなかたよった気持ちになった。

なので夕方から机を見に高島屋へ行く。うちの全《すべ》ては高島屋でまかなわれている気がするなあ……。

あちこちにいろいろいい机があって迷っていたが、その途中でチビラが愛用のおしゃぶりをホルダーごと落としてなくしてしまった。ずっと使ってきたので親のほうがきゅんとなってしまい、一応遺失物届けのカウンターへ行ったら、なんと見つかった！

お店の人が届けてくれたのです。なんとなくずっとそのお店のある机が気になっていたので、思い切ってそこで机を買うことにした。「机が呼んだんだ〜」とか言いながら。

でも、おしゃぶりがなくなったくらいでこんなにもきゅんとするのだから、子を亡くすってどれほどのことなのだろう、と思った。子供は、親より先に死なないでほしい。もうそれだけが望みなのが全ての親だと思う。

そういう意味では、犬の子供（？）は切ない。

誕生日プレゼントには早いけれど、売れてしまうと困るのでマンモスの指輪をヒロチンコに買ってもらった。

そして撮っておいた「探偵！ ナイトスクープ」をげらげら笑いながら観た。

4月27日

マッサージでリンパや首をなんとかしてしまう。

そして「インカの目覚め」というおいもに、Qiパワーソルトをつけるとゆで卵以上にゆで卵になるね、と関姉妹と笑いあう。

ここのおうちのマッサージで、今の私はなんとか人として生きていられるという感じだ。リンパがいつでもはれているし、脳みそもへとへと。ここでもまれると、体が「無理してたんだよ!」と叫ぶのがわかる。でも関さんは淡々となんとかしてくれる。ほんとうになんとかしてくれているのが、体でわかる。体が勝手に甘えていくという感じで、おはずかしいでござる。

そんな感謝の心も知らずにチビラはあちこちのボタンを押しまくっていた。

関妹さんが羽海野《うみの》チカさんの原画展で買ってきたマグカップを見せてもらったら、すごい絵が描いてあった。とにかく細か~く、ファンタジーっぽい世界の中に全部の登場人物が楽しそうにいろいろ遊んでいる絵だった。永遠に見ていても飽きないくらいにいろいろなことがその小さい絵の中で展開していた。犬のみどりちゃんや、肉を持ってくる先輩まで描きこんであった。著者もいた。

あんなに忙しくて、人気もので、たとえばはぐちゃんのアップを一個描いてマグカップにすればがんがん売れることがわかっているのに、それでも楽しいからってそんな手間をかけてこつこつとたいへんな絵を描くなんて……! なんてすばらしいことだろう、なんて楽しんでいるのだろうと彼女の心に打たれた。

そうでなくっちゃ!

夜はフラのワークショップだった。あまりに家のことが忙しくて結局遅刻してしまった。

悪夢のようにむつかしい曲で、そのまま帰ってしまいたくなった……。

でもエサシ先輩が目の前できっちりと教えてくれたので、なんとかついていった。

あの美しきクリ先生の足をも筋肉痛にしたという、この踊り……！　おそるべし！

小川さんがタコの振りのところはなぜか口もタコになっていておかしかった。あとで振り付けの絵を送ってくださったが、その絵の中でもタコのところだけタコの口だったので、笑いすぎて涙が出た。なんであんなに美人なのに、こんなにも面白いんだろう。

そして今日のヒットはなんといっても、
私「この指輪、マンモスの牙《きば》でできているんだよ〜」

慶子「ええっ？　マンモスってまだいるんだ！」

でした。いいぞ！　慶子さん！　どうかやめても仲良くしてね！

4月28日

英会話に行ったら、なんだかものすごく若くてかっこいい中国系のアメリカ人（多分……）男子が待っていて、とてもさわやかな笑顔で英語を教えてくれた。先生の彼氏か、先生の娘の彼氏か？　と思ったら、どちらでもなくって、たくさんのガールフレンドを持つかっこいいキリスト教の人だった。

心がきれいだと顔がきれいというのはあるていどほんとうだと思う。

このキリスト教の英会話教室で教えている先生や若い子達は、みんな考えられないくらい美男美女だが、それは信仰によって心がごちゃごちゃしてないからかも。まあここのマギ先生の若さと輝かしさといったら、ほれぼれする。肌もぴかぴか。普通のキリスト教と違ってちょっとラディカルなところがあるところもポイントだろう。

私は絶対入信しないし勧誘もされないけど、こりゃあ、彼氏彼女がいない若い子なんかもうすぐについていっちゃうんじゃ！　っていう豪華美男美女教師陣だ。とにかく、信じているものがあるからすごくていねいに教えてくれるし、美しいものを見るのが好きなので、楽しかった。

夜は千里。おじょうさんがあまりにもかっこいいスキーの映像を見せてくれた。ものすごい斜面をすいすいすべっていた。すごいよう！　マヤちゃんが前に「なっつはあのおじょうさんと結婚しろ、彼女はおまえの持ってないものをみんな持ってる！」

と言っていたが、もはやなっつの手の届かない高いところにいる彼女だった。

ついにチビラのためにサービスで出てきたものがほんとうの注文を上回ってしまった瞬間が！やってきたので、多めに支払って帰る。長いおつきあいのためにはそういうのが大事よね！　甘えちゃだめだめ！　でも、チビラくんは豚足をいつまでもしゃぶって「うま〜い」と言って笑っていたし、煮卵もぺろっと食べていたし、私は魚と青とうがらしのおつけもの（おいしい……）でごはんをおかわりしたし、食べまくる家族だった。ヒロチンコはしみじみと肉を焼いていた。チビラは最後におせんべいまでもらっていた。

4月29日

朝いきなり向こうのつごうで勝手に三時間早まった、風呂《ふろ》場の電気工事の人が来て、起こされる。困ったな、と思って電話したら「チャイム鳴らしたのに出てくれない」って怒ってるし。だって、約束したから約束の時間にいるっていうのが筋じゃない？朝の九時にはじめるなんて聞いてないもん。

昨日は三時半まで仕事してたのに〜。サントリーのためのかわいい小説書いて「ウィスキー飲みたいな……」と思いながら。

でも風呂場が明るくなったので、すごい寝不足でも、よしとしよう。

午後はえりこさんのところへ行く。いろいろしゃべって、お茶も飲んだ。えりこさんとしゃべっていると話が早いので、うんと楽だ。犬というのは天使みたいなもので、死ぬときまで飼い主のつごうを考えてくれるそうで、じんとくる。考えなくていいのにねえ……。

午後はまたも高島屋にヒロチンコのデジカメを取りに行く。1月のお誕生日に私が作った「デジカメ券」というのがあって、それをカメラのきむらに提出したらデジカメ買ってやる、期限は半年！　と言っていたら、ヒロチンコがほんとうにデジカメ券を提出したのでびっくりした。おじさんはげらげら笑ってそのデジカメ券をレジに貼《は》っていた。

チビラはまたもプラダや資生堂パーラーのきれいなお姉さんたちにあいそうをふりまいていた。

4月30日

机が来た。入りきらずにドアをはずしたり、ひやひやしたけれど、なんとかなった。生まれてはじめて！　自分の机を持った私……信じられないけど、ほんとうだ。いつもちょっとしたところでちびちび書いていたのだった。う、嬉《うれ》しい……。これで小説がだめになったら机がちゃんとしたせいにしようっと！　そしてうまく書けても机がよかったということにしようっと。ひとやすみひとやすみ（なんのこっちゃ）。

朝、不思議な夢を見て、その夢の中に薄緑色の指輪が出てきた。ああ、あの指輪か！　と思った矢先にまりさんからメールが来たので、その指輪がまだあるか？　と聞いてみたら、ほかの人がさっき電話してきてまさに売れそうだけど、まだあるということだった。これは、机と同じであの指輪が私のところに来たいんだな、と思って、買うことにした。たまにこういうことがある。縁があるというか、そういう感じ。勝手に動いていくような、妙な感じだ。

これで5月のマリーエレンさんの来日時にはなにも買えないけれど、石がそういうなら仕方ないわ。

実家に行って、無事に退院した母の誕生会に参加。

姉が羊をじゅうじゅう焼いたり、エビトーストを揚げたりしていた。母はそういうのが嫌いなので、酢の物を食べまくっていた。そして孫は今日もあれこれと芸をして、ジジババを微笑《ほほえ》ませていた。ほんと〜うによかった、孫を産んで。何度書いても書き足りないこの気持ちだ。このくらいの苦労であんなに人が喜ぶなら、小説よりも楽かもしれない。

それに、私たちが赤ちゃんだったころの人格がよみがえってきてふたりとも若くなるし、心なしか夫婦仲もよくなるような気さえする。

「ホームドラマ！」いかにも私の好きな設定なので、また観《み》てしまった。同じバス事故で家族を失った人たちが、立ち直るまでの時期をいっしょに暮らしてしのぐという内容だ。いしだあゆみさえいてくれたら、私もあの家に住みたいわ。

もしかして、私がこんなにも擬似家族にひかれるのは、前世でお坊さんが長かったからかな……とかいろいろ空想して納得した。

5月1日

ヤマニシくんが買ってきてくれたパンをむさぼり食べる。

朝から何も食べていないでバイトの人を迎える確率が高い……でもやせるというこ

とはないのはとても神秘的です。

それにしてもヤマニシくんちの近所はおいしいパン屋さんがやまもりあって、とてもうらやましいと思う。

そして彼が来ると、猫たちがなんともいえなくまったりと落ち着くので面白い。猫を落ち着かせる技にかけては世界一かもしれない。一度あばれ猫とかと対決させてみたい。でも考えてみたら、あばれ猫ならうちのビーちゃんで充分だろう。そんなビーちゃんは、ヤマニシくんが帰るとしばらくなんともいえない悲しそうな顔になるので面白い。小さくなって寝てしまうのだが、顔がしょんぼりしていてなでてもひっかかない。これはとてもめずらしいことであります。

5月2日

ちょっとだけ幼なじみの集いに参加しに、チビラも連れて酒井の家に行く。

それにしても寒いし、気圧も低い。なんなんだ？　この気候。

Gのお兄さんがフィリピンパブで働いていたおじょうさんといきなり結婚したという話を聞いてびっくりした。しかも、日本でも大変なくらいに清潔好きで海外なんてあまり行きたがらないGがフィリピンの農村みたいなところにやむなく遊びに行った写真を見て、げらげら笑ってしまった。笑顔でいろいろな人たちと過ごしているが、内面のすごくがんばっているかんじが伝わってきてしまって。

彼女のお母さんは外国嫌いだしお父さんは全然行く気がなく、だれもお兄さんを祝福して彼女に会ってあげられなかったので、仕方なかったそうだ。ビザの関係で、入籍してもすぐには彼女はこちらに来られないのだった。

そこでGはやむなくたずねて行き、虫いっぱいの森の中の小屋にステイして、板の間みたいなところに寝たり、トイレに行って手を洗わない人たちがむいた果物を食べたり、おそろしい水の中にいる蟹《かに》を食べたりしてすごくつらかったそうだ。

つぐみのモデルではないかと著者が思うほどに口が悪いというかはっきりしていて、きっぷがよくて冷静なG、「明るい夕方」にいたってはモデルそのものであるG……そうそう、彼女はうちのチビと同じ誕生日だ。

私「まるでウルルンだね〜」

G「そうなんだよ、もうほんとうにつらかったよ……」

私「でもみんなにこにこしていい人そうじゃない！」

ここでGがものすごい名言をはいた。

G「そりゃあそうだよ、働かなくていいなら誰だっていい人になれるよね〜」

Gの義理のお姉さんの稼ぎというか仕送りで、なんと五人くらいの家族がみんな全く働かないで暮らしているそうだ。そしてこれからはGのお兄さんがその係。ううむ。なんて鋭い意見だろう……。

G「なかにひとりだけ働いてる人がいたけど、やっぱり顔つきが違った」

ううむ……。

それからチビラとちょっとだけつつじまつりを見て、帰宅したらすごいセキをしていたタクシーの運ちゃんに風邪をうつされていた……くやしい！

まあ弱っていたからうつったのだろう。

夜、ウルルンを見たらなんとフィリピンの話だったので、また笑ってしまった。

5月3日

風邪でだるい……。

熱は八度の近くをうろうろしていてそれ以上は上がらないのだが、なんともいえなく体中が痛い。頭もがんがんする。

もうとても出かけられないけどみんななにか食べなくちゃ仕方ないので、とりあえずカレーうどんを食べによれよれな感じで出る。

チビラはずっと寝ていたのだが、ほとんどもう店を出るような状態になったときにはっと目覚め、とお～いところを見ながら突然むしゃむしゃとうどんを食べだしたのでびっくりした。

それにしても小説がつめなので、なんとか区切りまで持っていきたいと思い、ちょっとだけ書いて、ばたりと寝た。

5月4日

かなりきつい状態で目覚めたが、久々にたくさん寝たのでちょっと風邪がよくなっていた。大橋さんとなっつにチビをあずけ、おそうじをお願いして、足りない資料を買いにがんばって本屋さんに行く。

そして朝から何も食べてないことにより腹が減りすぎてどうしようもなかったので、思わずキムチをむさぼりくい、冷麺《れいめん》もちょっとだけ食べた。こんな食欲のないときにキムチが食べられるなんて信じられない！　でもすごくおいしく食べることができた。

これは焼肉屋さんできたえられたにちがいない。

夜はもう仕事にならないので買ってきたDVDの「28日後…」を観る。思っていたよりもずっとよかった。映像もよかった。「ドラゴンヘッド」みたいだったなあ。そして「キル・ビル」も観た。これは買うつもりがなかったのだがついジャケットに「買ッチマイナー！」って書いてあったのがおかしくて買っちまった。

沖縄に住む板前の服部《はっとり》半蔵という刀鍛冶《かたなかじ》……っていうだけでも、すごいと思う。観たあとしばらくは夫婦の会話がカタカナ日本語だった。

そして、いちばん意外だったのは「子供に見せるには不適切だわ」と思ってチビを別のところで遊ばせていた「28日後…」よりも、ずううっと「キル・ビル」のほうが不適切だったことだった。そしてどっちの映画もおさしみを食べながら観るのは最高に不適切だった。

5月5日

やっと風邪が治ってきた。生きる希望がわいてくるような感じがするので、風邪が治るときって大好き。風邪が治っていくときって、なぜか精神的にも生きる希望がわいてくるような感じ。

でもまだ実際にはだるくて動けないので、寝巻きを着てじっと過ごす。雨なのでちょうどよかった……でも寒い！　なんだか寒くて暖房までつけていた。そしてじわじわと健康体に変身していった。

陽子ちゃんがかしわ餅《もち》を買ってきてくれたので縁起ものだ！　とみんなで楽しく食べ、がんばって菖蒲湯《しょうぶゆ》にも入った。

小説はちょっと寝かせる時期なので、一週間ほど寝かせることにして手放す。いい味になって帰ってこいよ〜！

5月6日

6月の晴れ舞台にそなえての服を買いに、ちょっとだけギャルソンに行く。

ジャケットを買おうと試着したら、なぜか今着ている服の上に着たほうがいいのではないかというくらいに似合った。どうしたらいいのかしら。

自由が丘吉華でお店の人にとても親切にしてもらいながら、晩御飯を食べる。春菊さんも書いていたけれど、中華レストランの人たちってたいてい子供に優しいので嬉しい。

そしてお茶してぞうりを買って帰る。かわいいぞうりだった。カード入れも買った。

一日中、ゲリーのワークショップのテープを聴いている……、しかも大野さんが訳している。そのせいか、なんだかずっとゲリーと大野さんといっしょにいるみたいな感じで、ますます会うのが楽しみになってくる。ふたりの会話の調子から顔まで浮かんできて嬉しくなった。

さすがゲリー……、いろいろ面白いことを言っている……。

言葉に出すことにはすごい力があるので、カラオケで悲惨な歌を歌うのもよくないと……確かに！　選ぶ歌ってその人の人生そのものだよなあ……。あとアファメーションはだいたい無駄だっていうのもすごく納得して溜飲《りゅういん》がさがった。「人口が密集する地域にはセンチメンタルという疫病《えきびょう》がはやる」もすごかった。

夜、久しぶりにラブ子の調子がよく、いっしょに散歩に行った。あと何回いっしょに行けるかわからないけれど、ラブ子といっしょに楽しく歩いたことをずっと忘れないようにしようと思った。犬ってすばらしい。最後のほうはいつでもこんなに切ないけど、おおむね12年間ずっとずっと健康で楽しく過ごすことができた。その日々は、私にとってすばらしい宝だ。今がいくらつらくてもやっぱり「つらいからあの日々はなかったほうがよかった」とは思わないものだなあ。

5月7日

昼間Oさんに気功に連れて行ってもらって体調を整えたラブ子。車に乗って景色を見るのもいいのだと思う。そのうえ、お姉ちゃんと健ちゃんが見舞いに来てくれた。ヒロチンコ「この嬉しさは、ちょうど僕たちでいうとジョンとヨーコがいっしょに家に来てくれたくらいの感じだろうなあ……」

ほんとうに嬉しかったらしく、もうずっと寝てばかりいるラブちゃんが元気に立ち上がり、健ちゃんの買ってきてくれたケーキをぱくぱく食べてどんどん次をおねだりしていた。こういうときにがんばれる底力がまだまだ残っているのがすごいと思う。

お見舞いの前は焼肉。みんなたくさん食べた。最後はみんなで「ごはんものについての会議」を開き、石焼ビビンバとテグタンクッパと温麺《おんめん》をわけあってまで食べた。みんないやしんぼさんで、全部の味がほしかったのだった……。

「海のふた」はとても斬新な装丁になりそうで、今から楽しみだ。みんながあまりきりきりと力をいれずに、でもきちんと集中して作ると、本って余裕ができて生命が動き出す感じがする。

5月8日

松家さんが出張しているのをいいことに、小説をじっくりとさぼっている。楽しい〜! 人のせいにできる(?)のがとってもいいところである。お手伝いさんのムラヤマさんとしゃべっていたら、なんと浅草ROXで、ビルのオープン時にお互いそれぞれのお店で働いていたことが発覚! ご縁だ……。じゃあの、矢野顕子《あきこ》と佐野元春が歌う「自転車でおいでよ〜」っていう歌が流れてくると「ああ……働こう」と条件反射で思ってしまうのも同じかしら。私は今でもあの歌を聴くともうぜんと着替えたりそうじしなくてはいけないような気持ちになりますが、それは朝の十時にビルがオープンするときに大音量でビル中に流れた歌だったからなのです。

たまっていた雑用をがんがんこなし、ヤマニシくんとなっつとチビラと晩御飯を食べに行く。あとでヒロチンコが合流。カレーを食べる。久しぶりのチャカティカはすごく混んでいた。満席だった。

「歌うとほんとうにそのとおりになる」という、ゲリーのワークショップで聞いたことについてしゃべっていたので、どうしても気になってみんなでカラオケに行った。なんだか……ほんとうにそうかもしれない……。むやみやたらに悲しい歌とか悲惨な歌を歌うのって……考え物。

私もホラー映画観すぎてるこの人生……アルジェントさんばかりだから別にいいんだけど、考え物かも。

それにしてもヤマニシくんの歌があまりにもうまい上にとてもとてもすてきだったので、一同じんとなった。いいものを聴いた。すばらしいかき氷を食べたあとみたいな感じの歌声だった。

ヒロチンコ「マホチンさんとヤマニシくんは絶対に前世で家族だったと思うな～」

私「私もそう思う、親子かきょうだいか……でも、ぜったいに私が男でヤマニシくんが女だったと思う」

ヒロチンコ「それは絶対そうだね！」

あなたまでが絶対！　と？

5月9日

国際ローミングできる機種に買い換えたので、いろいろ手続きをしにボーダフォンへ行く。説明書を読めば読むほどじわじわと出てくる隠された問題点……。それをごまかすための楽しいサービスの数々。携帯の隙間《すきま》商売花盛り！　って感じ。それだけの苦情とか文句が来るのになれているのもあり、そして今しれつな競争がなされている世界だから、お店の人もとても感じよく親切だった。美人さんがてきぱきと作業をしてくれた。

待っているあいだに、母の日のあじさいを母に送ったり、チビラと肉まんをわけあって立ち食いしたりして、けっこう楽しむ。「悪霊喰《あくりょうぐい》」（キリスト教じゃないから、つらさがさっぱりわからない映画だった）を買うのがうしろめたくて「モンスターズ・インク」も買った。この心理は、書店でエロ本を買うときにちゃんとした本をいっしょに買う心理とまさしく同じであろう。

そしてチャカティカに寄ったら田中さんがいて、散歩がてらうちまで傘に入れてくれたので、うちにちょっと寄ってもらってお茶をした。緑道はもうすっかり夏っぽく緑色がいっぱいだった。雨に濡《ぬ》れた草の匂いがした。

チビラはそれではしゃいだのか、ゼリ子を歩行器ではげしくひき、しっぽの毛が少し抜けて気の毒だった。

びわ茶を飲みながら干し芋など食べて、ちょっと和んだ。そして田中さんは引越しへ向けてさわやかに緑道を帰っていきました……。

5月10日

今日もまた三茶の日。「安曇野《あずみの》」で親子三人そろってそばを食べる。

そしてなっつとヒロチンコにラブ子の点滴のやり方を聞きに行ってもらう。

ヒロチンコは昔、化学をやっていた時代に実験動物をどんどん殺して（？）いたので、注射に慣れていて感動してしまった。つらい過去らしいけれど、役にたってしまった。犬に針を刺すなんて、私にはあんなにすぐさくさくとは、とてもできない……。でもラブ子は点滴すると目に見えて元気になるのでよかったと思う。元気になりすぎて肉まんをぱくぱく食べていた。

夜は岡本太郎記念館で、敏子さんと対談。来ている人たちがみんな熱心で明るくてまじめな若者たちなので、とてもやりやすかった。ヨーロッパの子達みたいだった。いい時代かも……。

敏子さんは四十度の熱が出ても横になったりしないそうで、びっくりした。私なんか熱がなくても寝てばかりいるのになあ……。人を活気づけ、情熱をよみがえらせることにかけては敏子さんはプロ中のプロだ。そうして人の活気は敏子さんにちゃんと帰っていくのだと思うし、太郎さんの作品の真価も伝わり続けるのだろうと思う。すばらしい女性だ。

途中で「女はみだしなみに時間がかかる」と私が言ったら、となりで「さっぱりわからないわ……」という波動を出していたので突っ込んだらほんとうにそうだったので、笑った。お化粧もしたことがないのだそうだ。ううむ、筋の通った人生。

チビラはちゃんと講演中寝ていてくれた。そして長田さんにいただいたどらやきを酔っ払いのおじさんのおみやげのようにふりまわし、今にも開けて食べそうにしていた。お菓子が入っているっていうのは絶対にわかるんだな、箱で。

セルリアンでごはんを食べて、帰宅し、また点滴。

5月11日

たまっている買い物をしに、自由が丘に走る。高知屋で、ずっとほしかった魚醤《ぎょしょう》を買った。昔結子が高知みやげで買ってきてくれたトマトやお茶も買った。幸せ……。

そしてプチバトーができていたので、子供の下着を買った。お金持ちっぽい奥さんたちがいっぱいいて、店内に蚊がいると大騒ぎしていたが、マラリアになるわけでもないのに、大変だなあ……いやみでもなんでもなく、あんなことだと毎日全《すべ》てがほんとうに大変だろうなあ……と思った。生きてる景色が別世界だ。まあ人それぞれでしょう。

フラへ。大変な踊りでふらふらになる。だいたい、自分が思っている動きと鏡に映っている動きが魔法のように違うのはなぜに？

クリ先生のお誕生日をみなで祝って幸せになる……。

あゆむ先生に愛と恋とモテ人生についてみなでレクチャーを受けるが、あまりにものすごすぎて全然参考にならないけれど、楽しかった。お店の人にも「スカーッシュ！　って感じの飲み物！」とすごい注文をしていたあゆむ先生、「彼の前で踊った？」と当然のように言うあゆむ先生……、ＴＶで見た「ミラーリング」（相手と動作を合わせると親密になる）を試したくて、会ったこともないほかの人の部屋にむりやりあいさつに行ったあゆむ先生……でも、彼にためすとミラーリングが忙しすぎて会話にならないとのこと。宇宙人が見え、今まで一回も働いたことがないというあゆむ先生……彼女の数奇な人生について、今日聞いたものすごい話をもしも小説で書いても絶対に「そんな人いるわけないでしょ」とみなに言われてしまうでしょう……。

わかったことは、ものすごい美人だから魅力的なのではなく、あゆむ先生は本能のままに生きていて、自分に忠実で、人の悪口を言わないし、瞬間を生でぶつかって生きているからこそ数々の奇跡が起こるということだ。人間の可能性の大きさに震えた。

いい話いっぱい聞いたな〜……。

5月12日

打ち合わせでNHK出版へ。

変わらず小湊さんがいい味を出していた。彼のことを考えるといつでもほほえんでしまう……。

「ひな鳥のように口をあけて原稿をお待ちしていた僕としては」っていう表現もすてきだった。

かわいい花束をいただいたのに、NHK出版に車を図々しく停めたままで……パルコブックセンターで本をたくさん買い、「花泥棒」でベトナムのパパイヤ茶を飲んで帰る。

「おしゃれ工房」の連載のイラストを頼めます？　とヤマニシくんに打診したら、TVのほうと思って（もちろんテキストのほうと言わなかった私が悪いのですが）、私がドレスを着て朗読している後ろで、亜土ちゃんのようにキャスケットをかぶって絵を描くのかと思って悩んだそうで、悪いことをしてしまった……。

5月13日

来日中のぎっくり腰のゲリーくんに会いに行く。

美しくなったとほめられて熟女は喜ぶ。なぜか大野さんも通訳疲れのわりにはぴかぴかしていて美人度がアップしていた。チビラはさんざんほめられてにこにこしながらピラフを食べ「うま〜い」を連発していた。

それにしても魔法のように入り組んだ一通の嵐《あらし》でモルチェの駐車場にたどりつけなくて、みんな驚いた。あれじゃ、不便すぎる……。

大野さんだけまだちょっと時間があったので、セガフレッドで葛藤《かっとう》を手放す呼吸法をあやしく教わりながらお茶をした。

帰りはロッキング・オンに寄り、岩手出身の健ちゃんになぜか南部せんべいをおみやげに持って行き、「海のふた」の装丁の案など見る。よくなりそうだ！

夜はフラ仲間でありすごくご近所さんのオガワさんと、某外資系の銀行のアキヤさんとなっつとヒロチンコとみんなで焼肉合コン。

ばりばり系美人のアキヤさんが酒をがんがんがん飲んで、肉をぱくぱくぱくぱく食べて、「もっと酒を濃く！」「ヨン様とユンソナは違うんですか？」など面白いことをばりばりばりばり言って、爆走。みんなそれを目を丸くして楽しく見物した。店の人まで見物していた。あれほどの勢いで飲んでさらにちゃんと酔っ払う人って久しぶりに見て爽快だった。

毎日このくらいは飲みます！　ときっぱり言っていました。それで六時に起きて銀行に行くんだって……一日だけ体を交換してみたい。でも資産五百億の人と資産運用の打ち合わせなんて絶対に私にはむりなので、やめとこう。

そしてニーナ（24の）系オガワさんと、宇宙人についてなど静かに語り合う。美人で優しくて品がよくてフラもうまくて、言うことなしのオガワさんだった。のびのびと生きようね～なんて話あいつつ、私たちなりにだが、がんがん飲む。

5月14日

桶谷《おけたに》式マッサージへ。

かろうじて出続ける私の謎《なぞ》の乳。なんとかローマから帰ってくるまでもたせましょう、ということになった。もつのだろうか？　もう味はかなりまずい。しょっぱいのです。

同じ部屋にいたかわいい男の赤ちゃんにもてて、気をよくした。

あまりにもおなかが減っていたので、目黒銀座の「八雲」でラーメンを食べる。多かったけど、おいしかった！

夜は地味にうめぼし炊《た》き込みご飯とゴーヤチャンプルを食べる。チビラがあまりにもゴーヤをのびのびといっぱい食べるので驚いた。うめぼしご飯もいくらでも食べた。変な赤ん坊……。

気が向いたので夜中にりゅうちゃんの店に飲みに行って、はじめはしみじみとひとりで飲んでいたのだが、やがて結子と小雪がやってきた。どちらも二月三日生まれだ！　ふたりに囲まれてかしましく飲んだ。気づいたら夜中の三時だったので驚いた。店の人がちゃくちゃくと酔っ払ってめちゃくちゃになっていくのがいちばん面白かった。

5月15日

ゼリ子のカット、カトウさんの面接、そしてヤマニシくんにチビラをあずけ、新しいお手伝いさんにそうじの説明、スープを作る、ラブ子に薬を飲ませる、流動食を流し込むなどなど全てがいっぺんでなんだかごたごたしていた。

ヤマニシくんが最後のすばらしいイラストを見せてくれた。たまらなくよかった。なにかいいものがあふれだしているような感じだった。これまでの最高傑作かもしれないと思った。最後にあんなすごいのを描くなんてほんとうに才能あるんだなあ……とますます惚《ほ》れた。

でもそのすばらしいイラストが入ってる箱にビーちゃんがおそいかかっていてはらはらした。

カトウさんは手塚理美《てづかさとみ》系さっぱり美人で、ものすごいキャリアなので履歴書を見てびびった。ボーイング社って……ほんとうに、働いている人いるんだなあ、まわりにいないから架空の会社とさえ！　あとでヒロチンコがまさに同じことを言っていたのでおかしかった。

　私がカトウさんの下で働いたほうがいいっていう感じだった。そして私がかっこよく将来の展望を語っていたのに、私の携帯の「怪物くん」の着うたが高らかになりひびき、店の人まで笑っていたのだった……。

　カトウさんは玄関で寝たきりのラブちゃんを見て、昔飼っていた犬がやっぱり最後はこういう感じだった、ととてもラブに優しくしてくれた。愛犬がいるかぎり、この経験も避けては通れない。よい日々を、そして明るいエネルギーを保とうと思った。

　いい人が来てくれてよかった。神はまだ私を見捨ててないわ！　いい仕事するぞ！　と思いつつ、ゼリちゃんを迎えに行く。カリスマ美容師がカットしたプードルみたいにしてください！　って言ったのだが、単にかわいい丸刈り犬になっていた。散歩しながら、なっつに「24」パート2のことをじっくり聞いて帰った。

　帰ったらビーちゃんがマルガリータのゼリ子をゼリ子とわからずおびえだし、ものすごくもめていて、バカだな〜と思った。

　みんなで髙島屋で小籠包《しょうろんぽう》を食べて食べまくって晩御飯とした。おいしかった。

5月16日

一日中ビーちゃんとゼリちゃんが「お前誰?」「あたしだよ!ばか!」とけんかしているので、うるさいったらありゃしない。寝て起きるたびに忘れている……おばかさん!

でも毛が短いゼリ子なので、拭《ふ》くのがとっても楽になった。

ラブちゃんを洗ったり、目薬をしたりしてゆっくり過ごす。

点滴をはじめてからずっと寝たきりということがなくなったので、ほっとする。起きてきて卵を食べたりもするし、まずい流動食もはちみつなど入れると、かなり食べてくれる。でもたまに口からプッと自分の肉を吐き出すのでこわい。「ひえ~!」と思う。こわいけど、いやだとか汚いとはほんとうに思わない。うちに来る人はみんな思わないから、今、ラブ子はとてもおだやかだ。もっとこわいことかと思ったけど、案外毎日ゆっくりと過ぎていくものだった。

しかしチビが寝ない……小説の最後の仕上げを、チビラくんが寝たらやろうと思ったのに、夕方になっても寝ない。じっくりと待って、寝た瞬間にダッシュでとりくむ。

そして、やっぱり終わらなくて、夜中に完成して、ばんざい！　とビールを飲んで寝る。

5月17日

小説を提出したら、気が抜けて熱が出た……。でもいい抜け方だったので、よかった。体からなにか余分なものが熱を通じて抜けていった感じだった。

昼はキムカツで驚くほどあぶらっこいカツを食べる。でもおいしかった。家族で食べた。みんな鼻がぴかぴかになった。そして、気が抜けついでに安くなっていたパウスカートを買ってしまった。

そしてヒロチンコに手の形のお守りを買ったら、お礼に鍵《かぎ》の形のお守りを買ってくれた。そして私は知らないネイティブアメリカンの人の甥《おい》っ子の顔だという変わったペンダントヘッドも買った。甥っ子……すごく、スピリチュアルじゃないところがいいと思った。

帰ったら深津真也さんから夢みたいにきれいな薔薇《ばら》が、いろいろな種類で、箱いっぱい届いていた。あまりにもきれいで、いい匂《にお》いがして、こんなすごいのが庭に咲くなんて、魔法みたいだと思った。いきなり家がカリヤザキさんちみたいな感じになった。最近薔薇が本当に好き。たぶん、合田母子の絵と写真の影響だと思う。薔薇ってすごく高いところにある感じがする。

昼寝などしてから、ワンタンメンを食べに行って、帰宅。チビラが麵《めん》を驚くほど食べた。

5月18日

「BRAVA!」の取材でウェスティンへ。とてもぱりっとした編集長と、すてきなお姉さんたちが来た。土肥《とい》の昔の写真なんかも見て、ゆるい旅のよさを語り合った。日本の旅のよさが歳《とし》をとるほどわかってくる。だるい光、もりっとした緑、だらだら続く坂道、冴《さ》えない定食屋さんなんかをずるずると楽しむ感じだ。

陽子ちゃんの誕生日プレゼントを買い、小さい親子丼《おやこどん》を食べ、おせんべいなども買う。まりもまでまた買った。お手伝いさんの大橋さんとのお別れ！　もあるので、記念のお菓子も買った。

帰ったら大橋さんが笑顔で待っていて、切なかった。頼りにしていたので、お別れがうんと悲しい。チビラにもラブにもとても優しくしてくれたのになあ。でもご主人の看病のためにお辞《や》めになるので、仕方ない。ひきとめず、笑って見送ろうと思った。

夜はフラ。先生三人、生徒六人というおそろしい夜だった。先生たちがみんなすばらしい踊り手で、しかもそれぞれの踊りの味が全然違う。すぐ近くで見ることができたのが大きな財産だと思った。先生たちを見ていると、なんだか人生って自由ですばらしいとさえ思えてくる。美しさというのはつまりイメージを喚起する力なんだなあって。

なんだかあまりにもすごいレッスンだったので、終わったときにはひとつの大きななにかを成し遂げたような気がした……とにかく我を忘れて必死についていった。

5月19日

ここぺりにマッサージに行く。体と心と頭がばらばらだ。これは小説を書き上げたあとの特徴で、関姉妹も「これが書き上げたあとの体か～！」と言い当てていた。なんだかばらばらに機能していたものが、おふたりの力でやっとひとつにねりあげられた粘土のようになって帰る。おかげで息がしっかりとできるようになった。

大橋さんがかわいいお人形を陽子ちゃんと私に作ってくれた。玄関でみんなで笑って見送った。すばらしい時間をありがとうございます、と思った。ほんとうにすばらしい人だった。さりげなくいろいろ気を回してくれたのがありがたかった。

しばらくのあいだ、悲しくて悲しくてなにも手につかないほどだった。大橋さんがたたんだ洗濯物を見ても、涙が出た。

でも夜は坂元くんが元気よくラブのお見舞いに来てくれて、みんなでごはんを食べに行って笑ったら少し大丈夫になった。チビラはそんなママの気持ちも知らずに角煮とか鶏の天ぷらとかじゃこごはんを爆発的に食べていた。

5月20日

誰も知らなくても、私とラブちゃんの十二年間を、神様はちゃんと見ている。恥ずかしいことはひとつもしていない。男が三人変わったのはどうかと思うが、全員すごい動物好きだったので、よかったのだ。そして最後のスパートをがんばろう……。

と言っても、介護と看病はとても地味な作業だから、がんばりようがない。日々のくりかえしだ。こつこつと世話して、まだ体の中にいてくれることを嬉《うれ》しく思うしかない。この感じは思っていたよりもずっと地味な、でも、じわっとくる幸せだった。窓辺で並んでひなたぼっこしていると「まだいっしょに生きてる……」って感じがする。しかもすごく地味に、そういう感じがするのだった。

どろどろに腐った腫瘍《しゅよう》のところをタオルでふいて、消毒して、目から膿《うみ》が出てくるのをふいて、目薬さして……ヒロチンコもラブ子の腐った歯を手袋して取って（これは私にはこわくてできないので、ほんとうに尊敬する）、消毒して……こういうことをしていない人に、動物の飼い方をあれこれ言われるのはとてもいやだ。おおむねちんと世話してきたからこそ、でこぼこチームでもラブちゃんと私は十二年間楽しく生きてきたのだと思う。あと、涙を流せば本物で、涼しい顔をして笑っているとにせものだという風潮も苦手。涙は浄化をになっている大切な機能だが、感情の深さを測るものでは決してない。特に日本人は、泣いているほうをほんものだと思いたがるからいやだ。

病人の前では笑顔でいたい、いないところではちょっと泣くけど、それに酔わない。それが私のほんとうの悲しみの表現。そして命に対する敬意。わからない人にはわからなくていい。

それから西洋医学の薬を悪者にする風潮も苦手。必要なときには最小限きちんととるべきだと信じている。治すのはあくまで本人だというのは確かだが、病院は必要だろう。特に外科とホスピスはそうだろう。苦痛が増すのを「治りますから」と言えるのは、まだまだ生きるからがまんしてという場合であって、これから天国に行くのなら、最期《さいご》の日々、痛みは少ないほうがいい。意識がぼけるほどでなければ、痛みをなるべく取ることはとても大切だと思う。西洋医学の薬を否定することを強要する人で、ほんとうに死にかけたが助かったという人はほとんどいない。憧《あこが》れでしゃべっている場合が多い。化学や科学を勉強したことがある人も少ない。なぜ、知らずに「やめろ」と言えるのだろう……？

人の命に対して自分がなにかしてあげられると思っている人も苦手。言うこときかないとおどす人も苦手。「こうしないとこうなる」という人もいや。あと、プロじゃない人もいや。プロっていうのは、自分の仕事だけを見つめている人のことだと思う。意見の違う人に罰をあたえたくなったり、心配しているつもりで相手の首をしめたりするのはプロじゃない。そして、いちばん困るときに迷惑なことをしてみて「自分がいないと困るだろう」ということで相手になにかを思い知らせたような気持ちになって、「相手になにかを学ばせた」という感じで自己重要感をそういうことでしか確かめられない考え方も苦手。そんなこと痛くもかゆくもないし、いやな目にあったなあ、と思うけれど何も学べない。ますます「違うんじゃないかな」と思うだけだ。そんな愛情がない行動をとる人に近くにいてもらっても、結局迷惑なだけだからだ。

身近なものが癌《がん》になるとまわりにそういうことを言い出す苦手な人が必ずいるので全くいやだ。家族は家族で最期を静かに過ごす時間が大切と言うことを理解してくれない人もいやだ。

常に精神的に不安定で浮き沈みが激しい人があれこれ言ってもなにも説得力がない。安定感がないとものごとをまかせられない。でもそういう人にかぎってプライドが高く、支配的だ。

自分とは人生の種類が違いすぎる人と、互いに認め合う気持ちがない人とは、話し合いが通じない。ぶつかりあったりぶちまけあったりするのは、気の合う人としたらもちろん有効だが、人を屈服させようとする人としても、無駄だ。結局自分が正しいということにならないとだめだからだ。違う価値観を認めてそれぞれに違う幸せがあるということを理解できないのだ。多分、しんのところで自分に自信がないのだろう。

そういう人とは幸せを素直に祈って、縁を切ることが愛情だろう。そういうやり方しかできないということを気の毒に思う。そしてほんとうに素直な気持ちで、その人なりの道のりをたどって、いつか、幸せな場所にたどりついてくれるといいと思う。

それにしても私が新興宗教を嫌いな理由のほとんどは上記の理由である。

そしてここまでくどくどと書いているのは、もしかしたらもう永遠に会わないその人が、これを読んで、私の真意と別れの言葉を受け取ってくれる可能性があるからである。どうかもう放っておいてほしいし、全く理解できない価値観を押し付けないでほしい。癌は敗北ではない。病気のひとつだ。生き方とストレスにはもちろん関係あるが、罰ではないのだ。

マジで、心からいい人生になるように祈る。

さ〜て！　私もいい人生にするダス！　そしてその人の意にはそわないかも（なんと言っても私には犬を飼う資格がないそうなので……でも私ごときのレベルで赤くなったり青くなったりしてるよりは、今すぐもっとすごい虐待の現場をレスキューしに走ったほうがいいと思うな）しれないけれど、この人生、これからもいつもかたわらには犬がいるだろう。

久しぶりに人を憎みそうになったけれど、怒りは一晩で消えた。楽しくいてほしいという気持ちが消えないし、笑顔でいてほしい人たちだ。

そうしているあいだにもまだゼリとビーはお互いをわからないままにもめている。

やがて新しい犬として登録されるのかなあ、ビーの中でゼリは……。それとも、思い出すのか？

夜は実家に行って、姉の作った鶏すきと親子丼を食べる。そのうえに大量の野菜天も出てきた。なすの天ぷらなんてでかいのがひとりひとつ。なぜかアガリクスまで揚がっている。すごい……。それについていったチビラもすごい。おなかがぽんと出ていた。

そんなチビラとあまりにも遊びすぎて母が倒れそうになっていた。そんなに！　そして速く歩くと息ができなくなるような病気の母が、チビラくんがたたきから落ちそうになったときに私よりも速くだーっと走っていって止めたので感動してしまった。気の毒なことに姉の大切なヒルギが、トラックにひかれてこっぱみじんになっていたので（トラックは逃走したそうだ……）、代わりをネットで探して送る。今度は六角ヒルギだ。

5月21日

朝から子連れで動物病院に行って、薬の容器を返したり、点滴の量とか、いろいろ相談する。先生が犬と同じ感じでチビラに「よう！ かわいいな！」と言っていて笑えた。

そして帰宅後、思わず一条ゆかりの「プライド」を読みふける。さすが女王だわ！ものすごくおもしろかった。もうどきどきして止まらない！ どうなるのか知りたくてしかたない。みんな深みがあるキャラなので、感情移入しまくり。

結子と新しくできた喫茶店でお茶をして、夕方の商店街を散歩する。あまりにもなんでもなくって楽しかった……！ 私も彼女も忙しくって、なんでもない時間って案外少ないから。そして共通の友達の噂《うわさ》話を楽しくする。このあいだかしまし娘で酒を飲んだので、そのときのことをあれこれしゃべった。悪口は全然言ってないのにどうしてこんなに話が続くの？ ってくらいに話した。お花を買って帰宅。

玄米としらすとまいたけのチャーハンを作った。

5月22日

寒い！ なんなの？ こりゃ。ゼリ子を刈るのを早まった！

今日は下地《しもじ》勇《いさむ》さんのライブで、銀座へ行った。おじいがスタッフとしてはげしく働いていた。かわいいまりちゃんもいた。宮古の言葉はむつかしいから聞いてもぜんぜんわからないけど、彼の歌詞はまるで小説みたいで、しかもすばらしいと思う。家族がお金持ちになったけど、幸せじゃなくなった歌なんて、歌詞を読むと首が痛いくらいにうなずいてしまう。そしてただ恋人がいなくなって秋風が吹いているというだけの歌なのに、どうしてだかちゃんと沖縄の海が見えてくる。音楽っていいなあと思った。世代や趣味を超えて、まっこうからただ音楽の力を楽しめた。人として生きることの基本を歌っているから、伝わるのだろう。驚いたことにチビラは一時間くらいはライブ会場で静かにしていた。これは……連れて行けるタイプかも！

寒い寒いと言いながら、ヒロチンコとヤマニシくんとなっつとチビラくんと、ルーマニア料理を食べた。むか～しからある名店だが、入ったことがなかった。そして、お店と同じくらいに、従業員の人たちも……歴史を経ていた……。にんにくがきいていて、なんとなくギリシャ料理っぽいような、ロシア料理のような。

5月23日

一生忘れられないような、静かで幸せな雨の日曜日。

ビデオ（なんだかよくがんばってつめこんだという感じの『ドリームキャッチャー』。こわいはずの動物ぞろぞろシーンがかわいくてくすくす笑ってしまった……これじゃあだめでしょう）を観《み》ながら、思う存分看病と育児をした。チビとえんえんおそうじごっこをして、鉄琴をたたいて、拍手しあった。

そしてラブにびわ灸《きゅう》をしたり、マッサージをしたり、体をふいたり、ごはんを食べさせたりした。しっぽをふってうんと喜んでくれた。

姉が寄ってくれたので、ヒロチンコの帰宅を待って、パスタとポテトサラダをふるまう。ラブちゃんは嬉《うれ》しくてワンワン言ったら全《すべ》ての力を使い果たして廊下で寝込んでしまった。でもすごく嬉しそうだった。

そして姉が血まみれになって、このところ切り忘れていてのびきってしまったビーの爪を切ってくれた。身をもってやってくれると説得力があります！　これからはまめに切ります！

5月24日
ローマに行ってるあいだに担当してくれるペットシッターさんがやってきて、廊下に寝ている苦しそうなラブ子を見て泣いていた。少し前に犬を亡《な》くされたそうだ。その涙を見たら、ああ、大丈夫な人たちだと思った。泣いているからという意味ではなくて、そのことを仕事に生かそうという心意気が感じられたから。これで安心してローマに出かけられる。

そしてラブ子に会いに、ガンちゃんが来てくれた。

ラブ子はしっぽを大きく振って、必死で首をあげて喜んでいた。なんともいえないいい時間だった。

ガンちゃんはラブが子犬のときから三年間、ずっといっしょに暮らしていたのだ。

午後は胸をきゅうとさせながら、ヒロチンコの電話機を買いに行ったり、私の使いにくい機種を交換したり、チャカティカでごはんを食べたりした。田中さんが優しくチビラを抱っこして遊んでくれた。雨が降ってきて、淋《さび》しさも増してきた。ラブ子が呼んでいるので、早く帰った。

夜は家で点滴をする。少し元気そうで、玄関に寝なくなった。もう番犬をやめていいよと言ったのをやっと聞いてくれたみたいだ。

5月25日

朝起きたら、いよいよラブ子の影が薄くなっていた。

でも流動食をスポイトみたいなやつで、コップ一杯は食べてくれた。あまりおいしそうでないし、苦しそうなのであげるのもつらいけど、お互いにびしゃびしゃになって、毎日がんばってあげている。午後、チビラくんが私のタンスから香水用の小さいスポイトを見つけ、なぜか寝ているラブ子の口元に持っていってしゅっしゅっと空気を送っていた。そうか、流動食をあげているのを見てるから、やってあげてるんだ、と思ったら、感動した。子供はなんでもちゃんと見てるんだ〜！

新しいお手伝いさんはブラジル帰りの輝くような笑顔のてきぱきした人で、家の中がさっさといい感じにきれいになっていく。別の形でプロ中のプロだった大橋さんがいなくなったショックが少し薄れた。大橋さんの幸せを遠くで祈ろう。

ひさしぶりの原さんと知久くんのライブに行く。会場が灼熱《しゃくねつ》地獄で汗がだらだらと出て、意識が遠くなってきた。でも名曲がいっぱいだった。「オリオン」では鳥肌がたった。

そして地元民の慶子さんと合流して、なかよしで速攻で餃子《ぎょうざ》を十二人前食べる。最後の二人前くらいはほとんど私と健ちゃんで食べきった。

健ちゃんも連れて家に帰ると、ラブがもうほとんど昏睡《こんすい》状態だった。

ヒロチンコが点滴をして、看病していてくれた。

健ちゃんは夜中の一時なのにきゃあきゃあ遊んでいるチビを、ずっとかまっていてくれた。そして私はラブに「もうがんばらなくていいよ、ごめんね」と言った。苦しくても生きていてといったら、生きていてくれるという気がしたからだ。でもそれは私のエゴだから、もういいよと言った。健ちゃんも最後のあいさつをして帰った。

健ちゃんは十年間ずっとラブ子を人いちばいかわいがってくれたので、切なかった。

ラブちゃんは健ちゃんにもう一回会いたくて待っていたんだな、と思った。

一晩中ラブ子につきそっていた。苦しくてきゅうきゅう鳴いても、よしよしとなでると息が静かになった。その繰り返しだった。チビラもなぜかうなされていた。

5月26日

ラブ子を風通しのいいところに寝かせた。なんとか水分は取ってくれる。獣医さんに電話をして、こうなってからの対策をいろいろ聞く。

急に悪くなった原因はラブ子にとっては大切だった人物が、西洋医学を信じこうなってても外出もしている私をこらしめようとして、ラブ子を見捨てたからだというのがうすうすわかっていて、ものすごく腹がたちそうになるが、この段階ではこらえる。なぜかというと、その人がいればその人に頼めたのだが、いないとなると、ローマに行っているあいだはラブ子を病院にあずけるしかなかったからだ。そして病院で息をひきとることはしたくないから、ラブ子は私を、そのあいだはがんばって待っているつもりだったろう。でも、もうほんとうに苦しくてきついことになりそうだったので、ラブ子は私がまだいるうちに去ることに決めたのだろう。犬ってほんとうにそういうものなのだ。

ローマだって行きたくないが、ラブ子が病気になる半年以上前から決まっていて、国とか市がからんだ大仕事なので、しかもだれも私のかわりはできないので、行かないわけにはいかない。だって、それが私の仕事だから。

そしてそいつは、私たちの生活をよく知りもしないくせに、私たちが犬をないがしろにしていると勝手に想像してくだらないことをあれこれ言ってきたのも、ほんとうに腹が立つ。ラブ子は一日何回も寝場所を変えるし、目が見えないし苦しいから昼間の光や風がつらいときが多かったので、自分で場所をあちこち移動していたのに、玄関に放置しているとか、私が自分で病院に行かずに人任せだとか見てもいないのに言ってきた。藤沢の病院に行かなかったのは、誰かがチビを見てなくちゃいけないからだったんだけど。どうするんだね？　子供は。家にひとりでおいていくのかね？　まあ、その人の持っているたった二百ほどのデータとてらし合わせると、私は犬を飼う資格がないそうだからなあ。ははは（力なく笑う）。

こちらはその人と意見が合わないのをラブ子の前で見せたくなかったし、最後にいい時間を過ごせるように、なるべくその人がいるときはその人がラブ子とふたりきりになれるようにしていたのだが、それが私の無関心に見えたらしい。勝手に。

そして気を送るからとか言って、うちの家族の写真を勝手に切り抜きやがった。さらにはうちのリビングには霊がいて、私とヒロチンコの心身が健全じゃないから、犬が病気になったとまで。頭が変だ。マヤちゃんにそれを言ったら、さらりと「霊なんてどこにでもいるよなあ……」と普通に言っていた。ううう、それはそれでなんだか……。

悪いけど、その人の家の犬は全然幸せそうに見えなかった。いつもその人の感情が浮き沈みするたびに、気をつかっておろおろしていた。うちの犬はしつけはなっていなくてそこは反省すべき点だけれど、いつでもおおむね幸せにのほほんと暮らしていた。公園に行ったり、散歩したりいっしょに出かけるだけが犬の楽しさじゃない。家族がわりと平穏で、飼い主がいつでもいて、おいしく食べて、そこそこ運動して、いっしょに寝て……それが犬の幸せじゃないのかなあ。とにかく、あまりにも的外れすぎる。価値観が違うのはしかたないとしても、それを人に押し付けるのは傲慢《ごうまん》だ。だいたいこういうときにそういうことを言ってくること自体おかしい。私が自分の思い通りにならなかったものだからって、この段階で病気の犬を見捨てるというのがまたすごい。それって犬じゃなくて人間関係を見てないか？　っていうか自分のことだけで頭がいっぱいのご様子。このやりくり上手さん（というよりもほとんど奇跡が起きているからなんとか回っているみたいだ）の私に「時間はつくるものですよ」っていうすごいアドバイスも。笑かすな〜。

地獄に落ちろ！　と言いたいが、私はもう氷のように冷たくその人をすっかり忘れるので、うらまない。うらんだら自分が損するし、その人を好きだったラブ子もかわいそう。いつでもラブ子はかわいそうなところが全然ない、みんなに愛されすぎているお嬢様なのだから、そのままでいてもらいたい。

まあ、人がしたことは全部その人に返る、それを信じるのみだ。

ああ、思わず熱くぐちってしまった。書かないほうがあとで読んだとき後味がいいってわかってるんだけど、も～、止まらない。でもこんなときにニューエイジらしく許すのも空《むな》しいし、深いところでは別に怒ってないし、書いてさっぱり忘れるから書いておこう。

まわりの人は、どうしてそんな人と親しくしていたのですか？　と思うだろうけれど、それはただひとつ、ラブとゼリがその人を好きだったからだ。そうしたら受け入れるしかないだろう。子供の友達なんだから。受け入れなくてはならないとしたら、なるべく好きでいようとするしかないだろう。

今となっては唯一《ゆいいつ》の悔いは、あの人を出入りさせていたことだけだ。

まあ、なんでもいいのだ。あとで読んだら、「怒ってるなあ、私。でも、もう文の中にラブ子が出てきてればなんでもいいや」と思うだろうから。それにその人も今頃すごく後悔しているだろうし、それから立ち直るのにはきっととても多く時間がかかるだろう。もう私はこの問題を縁と共に手放そう。ラブ子の思い出だけはひとつも手放さずに。

それに、地獄に落ちろ！　と感情で毒づくことと、いつかは幸せになれよ！　と思うことはなぜか両立できるから。

最後の半年、私は（たとえ、自分なりにしかものを見ることができない人には一見そうは見えなくても）家にうんといるようにしていたので、家族の平凡で普通の暮らしをいっぱいラブ子とたんのうした。寝ているラブ子の目と耳には、いつだって幸せな家族の風景と音が聞こえ、ラブ子を好きな友達もしょっちゅう来て、いつでもきれいな服が毛だらけになっても優しくしてくれた慶子さんがまだいて、ラブ子がうちに来てから十二年ずっとかわいがってくれているなっつや陽子ちゃんも最近はいつでもいて、ラブ子を好きなお手伝いさんもいて、お姉ちゃんも来て、いつでもにぎやかで、その中に自分もいるとしっかり思えていたはずだ。

だから、これでよかったと思う。あんな思惑いっぱいの人がいっしょだったら、いやな見送り方になってしまう。

最後は笑顔で、すべてを振り捨てて、家族と愛する人たちだけで、感謝して見送るのだ。

それができたことを、神様に心から感謝しよう。

昼に苦しんでたくさん吐いてもうだめかと思ったところに、なっつと陽子ちゃんが来た。そうしたらラブ子は犬用ポカリを飲んで、少し持ち直した。そしてさっそうとマヤちゃんがやってきた。「ラブは世界一かわいい女の子だ、女をたくさん見てきたマヤマックスが言うんだから、間違いない！」と言ってくれた。ラブ子はまた少し持ち直した。

お手伝いさんのミナミノさんも「人生いろんなときがありますよ！」と言ってくれたが、全然いやな感じではなくて、はげまされた。

私が仮眠をとっているあいだ、なっつも最後の時間をラブ子と静かに過ごした。

そして、ヒロチンコが帰ってくるのをラブはちゃんと待っていた。

私はパン一個とどら焼き（長田さんありがとう……）しか食べてなかったから空腹でふらふらになっていたので、でもとても料理なんてできないから、焼肉屋さんに走っていき、肉を焼かずに定食みたいな晩御飯をさくさく食べる。「うちのワンちゃんが危篤《きとく》なの」と言ったら、焼肉屋さんのご家族もみんな優しかった。チビラくんはまたも、メニューにないおいもを煮たものと、いちごやとうもろこしのかわいいマラカスをもらっていた。すごくおいしそうに見えたらしく、振るよりもかじっていた……。

帰って、またずっとラブちゃんについていた。苦しそうな呼吸音だけれど、息をしているのが嬉しかった。たくさん話しかけた。

電話があって、姉がラブ子にいろいろ声をかけてくれてから十分後くらいに、ラブ子が苦しそうに一回吐いた。そして、もうだめっていう感じになったが、ヒロチンコがゴミ捨てに出ていていない。どうしようかと思った瞬間、ヒロチンコが帰ってきた。

そしてラブ子はふたりの腕の中で息をひきとった。ヒロチンコがひきとめようと点滴をしてくれ、私は「もういいよ、ありがとうラブちゃん」と言ったときのことだった。ふたりともラブ子にすがってわあわあ泣いた。

大きな旅行の直前、きっちりと世話になった人たちに会い、家族がそろっていて、しかもチビラくんが寝ているときを選んでラブ子は去った。垂れ流しになったのは最後の三時間だけだったし、番犬はどんなにしなくていいと言っても、死ぬ二日前までやめなかった。一週間くらい前まではかつサンドや肉まんやおせんべいやプリンを、食べられるときにふらふらとやってきては、おいしそうに食べていた。

私はラブ子は晴れた日に去ると昔から思っていたけれど、そうなった。晴れているから、窓をあけて風通しのあるところで看病できた。

ほんとうに名犬だった。

ほんとうはどんな姿でも、どんなに苦しそうでもいいから、いつまでもいてほしかった。でももう……。

ラブ子に守られてきたこの命を自分も大切にしようと思った。

体をきれいにふいたり、いろいろしてくれた優しかった人たちに連絡をして、たくさん顔をうずめて、たくさんなでて、ヒロチンコと泣きながら眠った。ゼリちゃんがしょんぼりしていたので、ゼリちゃんもいっしょに眠った。

そしてふと見るとタマちゃんだけが流れに全く関係なく、あおむけ、大また開きで口をあけていびきをかいて、ヒロチンコのまたの間で寝ていた……。

5月27日

どんな姿でも、どんなに大変でも、この日記の中の日々にはまだラブ子がいる。それだけでも戻りたいくらいだ。なんでもいいから会いたい……。

苦しんで床についた血のしみさえ、ふきたくない。

ふりむいてラブ子がいないのに慣れることは当分ないだろう。

せめて今日も明日も一匹で番犬をしてくれているゼリ子を大事にしよう。

「今夜は恋人気分」のインタビューに出かける。しかし、私たちって、すごく仲がいいけど、なんのおもしろみもない夫婦……。聞かれれば聞かれるほど、平凡……。ドラマもあまりない。なんだか申し訳ない気さえしてきた。

そして夕方、お寺にラブ子を連れて行って、火葬してもらう。お坊さんが出てきてお経をあげてくれたけれど、これってどうかな〜？と思ってしまった。でもいろいろとていねいにやってくれたので、よしとしよう。

遺体が家を出るとき、涙が止まらなくなった。陽子ちゃんがきれいなお花を持ってきてくれた。健ちゃんのお札、私たちの髪の毛などいっしょにお棺に入れた。

結果、陽子ちゃんにすごい残業をさせてしまったので、なっつとヒロチンコとチビラくんとみんなで寿司《すし》を食べに行く。

帰ってきたらガンちゃんから電話があり、もうそこからは涙が止まらなくなった。ラブ子の前では泣かないようにしていたので、もう気が抜けまくりだ。

ラブ子が大丈夫かと思って寝ている場所を何回も確認するくせも抜けない。見るたびにすわってなでる動きをしないのも不思議だ。背中のどこかがまだはりつめている。なのに体全体から力が抜けて、立っていられない感じだった。

だいたい二日くらい徹夜同然だったので、深く眠る。そして泣きながら何回も目が覚める。あの苦しそうな音と、病気のすごい匂《にお》いがもうしてこない。あの音や匂いさえ恋しい。そして私が動くたびに目で追ってくれた（十二年間もずっとだ）存在がいない。家ががらんとしている。

ヒロチンコは四年間しかラブ子と暮らしていないけれど、ラブ子はその期間、最高に幸せな時間を過ごしたと思う。妊娠出産で私が家にいたのも、よかった。赤ちゃんにもはじめは焼きもちを焼いたが、すぐに仲良くなってくれた。妊娠中にひとつのベッドでみんなで寝ていたことも、いつもラブ子がベッドにもぐってきたことも、幸せな思い出だ。そしてヒロチンコはずっと、点滴をしてくれたり、いやがらずにラブ子の腐った肉とか歯をきれいにしてくれていた。そういうヒロチンコをとても尊敬し、感謝する。

朝起きるたびにラブ子に「今日も会えたね！　まだ大丈夫だね？」と目を合わせては半年近く言い続けてきたが、それももうしなくていい。

気が抜けた。しばらく休もうと思う。トスカーナに行って、いい景色を見よう。

そしてラブ子にほんとうに十二年間ありがとうと言いたい。もう苦しくなくて、体も軽くて、安らかでありますように。

5月28日

涙の出しすぎで乳も枯れながら、桶谷《おけたに》式マッサージへ。

すごく大きな赤ちゃんとか、私の乳を見て思わず「ぱい〜！」と言いながら自分のママに乳をせがみにいく女の子とかいて、楽しかった。どの家のチビも、チビはいいなあ。

乳の問題はいろいろあって斉藤さんもたいへんそうだ。まあ、本能でできそうでいながらも自分から出る汁で人を養うって、なかなか慣れない分野だからだろうなあ。むちゃくちゃな人が多いみたいだけれど、なんとなく推測できる。うちは常に飲みまくる赤ちゃん、作りまくる私という組み合わせでよかった。飲まれすぎて乳首が割れて七転八倒した以外は、三時間おきに起きるのもたいした苦しみじゃなかった。もともとそういう生活だったからだろう。

そうです、いよいよもうチビラが飲んでくれなくなったので、帰国したら卒乳決定！

たまにおっぱいを見てえ〜ん！と泣いているが、あげても飲まない。くやしそうに顔をそむける。きっと自分で決めたことなんだろう。えらいぞ！

マリーエレンが来日しているので、ちょっと会いに行く。かわいいインドみやげの服とかゾウとかもらった。チビラはマリーさんやソフィーさんやかわいいお店のおじょうさんたちみんなにあやされてでろでろになっていた。おやつまでもらっていた。

そしてMHTとロケットの両方でジャンフィリップの展覧会をやっているので、ロケットに見に行く。二階に行くのに、オーナーさんとなっつくんとセキネさんにおみこしのようにかつぎ上げられる王様のようなチビラくん……。そしていつでもシャイなジャンフィリップ。彼の絵は彼の世界が確立されていて、うますぎるくらいうまいので、見ると言い知れなく落ち着いた気持ちになり、ふっと幸せになる。今回はジャイプールのシリーズがとてもよかった。色も原画のほうがずっとすばらしい。繊細なブルーグレーが特徴だった。

家に帰るときがいちばんつらい。

車を停めてもゼリ子しか鳴いてない。ドアをあけても迎えに来てくれない。何回泣いてもまた泣いてしまう。ヒロチンコもそういう感じで、あまり食欲もないので、おつまみばかりの晩御飯を食べた。でもなんとなくラブ子が家の中にいるような気がして、とにかく静かに暮らす。

5月29日

淋《さび》しくて家の中にいられず、山西くんとしみじみパンを食べ、スープを飲む。

そして家にいられないので旅行の買い物をしに行く。

でもなんとなく家の中が、まるで健康なラブ子がいるときのような落ち着きを見せはじめた。もしかしたら、そろそろ帰ってきてるのかもしれない、と思った。

ヒロチンコもそういう感じがすると言っていた。

夜は元日医大おばあちゃんグループと、母と、姉と、三笠《みかさ》会館に肉を食べに行く。チビラがこわいくらいごはんや肉を食べ、もやしを食べていた。おばあちゃんの残した肉もみんな食べた。すごいなあ……肉を焼く人の高い帽子がすごく気になっているようだったけれど、私ももし自分が赤ちゃんだったら、あの高いところから目を離さないだろうと思う。帽子の人も赤ちゃんの食べっぷりに驚いて「肉食ってるよ……」とつぶやいていた。

5月30日

日曜日はどんなに淋しいだろうと思ったら、意外にもすごく晴れていて、すがすがしい感じだった。時々いるかもと思って「ラブちゃーん」と呼んでみる。長年かけて耳にしみついたしっぽを振る音が聞こえる気がする。大事な記憶だ。

このあいだまでの問題になっていた人がどうも私の名字で人に電話をかけたりしているらしい。困るなあ……でももうラブ子がいないから、別にどうでもいい。お金のことでなにか問題があるなら、支払うし、もうほんとうにどうでもいい。空《むな》しい。もめごとで感情をはかることにはもうまきこまれる元気もない。でもその人が私の名字で電話をかけてくれたおかげで（？）、八年ぶりくらいに普通っていた獣医さんとしゃべれたから嬉しかった。

今はラブ子の成仏《じょうぶつ》と、自分の休憩だ。

いつでもはりつめていたので、体のこわばりが抜けないのに、力は入らないという変な体調。下痢《げり》も止まらないし、休まなくちゃ、です。

でもこわいくらい眠れるので、だんだんよくなってきた。ここ半年はろくに寝ていないで夜中にラブ子の様子を見たりしていたからなあ。気が抜ける……。ちなみにその前の一年は夜間授乳で三時間おきに起きていた。お母さんって丈夫だなあ！　我ながら。

夕方三茶でパンツなど買って、炎天下を歩いて帰ってきたら、へろへろになってソファでぐうと寝てしまった。陽子ちゃんがチビラを見ながら起きるのを優しく待っていてくれた。なんだか嬉しかった。目が覚めたときに優しいものに包まれている感じがした。

夜は移転していたラクレットハウスでスイス料理を食べる。またもやチビラがとなりの席のお姉さんをナンパしていた。きれいな人だと首を回して露骨に見るので恥ずかしい。

そしてもう急いで帰らないとかわいそうだという子もいないので、ヒロチンコとカラオケに行って、珍しい歌というお題で歌いまくる。チビもポッキーを食べながらリモコンでいろいろな曲を入れていた……。最後はローザの「ひなたぼっこ」をふたりで歌ってちょっと泣いた。バカ……。

5月31日

遊びすぎてチビラが知恵熱を出したのでびっくりしたが、病院でばったりと松本さんとチビちゃんに会って、嬉しかった。ラブ子のことを伝え、生前優しくしてくれたお礼を言った。

ラブ子のことで徹くんから優しいメールが来て、涙が出るほど嬉しかった。今私はいい結婚をしてとても幸せだが、彼といた時期はまさに人生の黄金期だったし、私がどれほど彼を好きだったか、まわりの人にもきっとはかりしれないだろうなあ。ヒロココとか最後まで信じてくれなかったもんなあ。

ラブ子さんはちゃんといやな人は連れ去り、わだかまりのある人とは仲直りさせてくれ、出張には心おきなく行かせてくれ、ちゃんとみなにあいさつをし、家族には看《み》取《と》らせてくれて、名犬中の名犬だ。

そして健ちゃんがお焼香がてらゲラを取りに来てくれた。ラブ子は健ちゃんが大好きだったから、嬉しいだろうと思う。このあいだ健ちゃんが来たときは、まだ生きていたのになあ……そういうことが今は切ない。ラブの息がつらそうだったので家の空気をすがしくしようと思って、危篤のときにアロマポットでローズのオイルを温めていた、そのろうそくの燃え尽きるたった五時間のあいだに、ラブ子はいなくなったのだ。なのでそのアロマポットをまだ洗う気になれない。死んだときに咲いていたひまわりもまだ捨てられない。

ほんとうに！　旅行と重なってよかった……。出かけるというのでもなければ、こういうことに耐えられなかったかもしれない。

熱のあるチビラを寝かしつけつつ、大好きなイデーのカフェに行って、陽があたる温室の中で軽くごはんを食べ、寝巻きを買い、ついでに犬と猫を見て、ペットシーツを買って帰ってくる。当然まだ新しい犬に目が行くはずもない。ゴールデンが飼いたいけれど、ラブ子じゃなくてはいやなので、絶対に飼えない。それにわんにゃん倶楽《くら》部《ぶ》で十五歳のアリちゃんがラブ子と同じ病気で寝ているところを見たら、私もヒロチンコもきゅうとなって、触っているだけで懐《なつ》かしかった。ほんとうにゴールデンは優しい犬だと思う。私にはもう、あの優しさがつらすぎて飼えない。

生きているということは、この手で触れるということだ。そして今という時間の中で会えるということだ。生きているということの意味とかよさがよくわかった。そして病気で瀕死《ひんし》になるのは肉体だけで、中の魂みたいなものは最後までぴんぴんしているというのもラブ子を見てわかった。この体験を大事にしようと思う。そして家にいる動物たちがみんなしょんぼりしているので、手間をかけて世話していこうと思う。

チビラは今、私の指輪を押して「ピンポン！」というのがはやっているのだけれど、夜中にピンポン！と言って指輪を押しながら、床に水たまりができるほどの大下痢をした。でもにこにこ笑っていたので、よく笑えるな～と感心した。そして、だいぶ熱も下がってきたので、安心した。きっとこのところ大変だったから、彼なりになにかがたまっていたのだろうと思う。

夜中に三代目魚武さんの鉄板入りの本がどさっと手の上に落ちてきて、ねんざした。さすが選び抜かれた鉄板というだけのことはある！　重い！

しっぷをはって気づいたことには、私は本来左利《き》きらしいということだった。だって、びんのふたも左であけているし、髪の毛も左で洗っているし、コップも左で洗う。本のページも左でめくっている。これじゃなにもできん！　ともう寝ることにする。

さあ、あさってからローマでの大仕事だ、がんばろう。

6月2日

朝、なぜか手元が狂って花瓶を割ったときからもう、熱は始まっていたのだった。

そう、チビの強烈な風邪をうつされた……。

おかげで飛行機の中で灼熱《しやくねつ》地獄を味わった。解熱剤《げねつざい》を飲んでも全然熱が下がらないで最後には八度七分になっていた。しかも吐くのがとまらなくて脱水に。やむなくイタリアの空港の病院に行って、点滴を受けた。お医者さんが読者さんたちで優しかった。

ホテルの玄関で寛子、たくじ、ジョルジョが迎えてくれたので、なんとかごはんを食べに行くも、途中で点滴の効果がさっぱりと切れ、熱がまた魔法のようにあがってきたので、ホテルに帰って寝る。

やれやれ……。

しかも薬の副作用で口の中に小さい水疱《すいほう》がたくさんできて、すっごく痛い。

6月3日

今日が本番かよ！　と思いながら、取材を受けに行き、記者会見。事務局のある文学の施設の庭で撮影をして、懐かしい大上先生の通訳で会見。

ああ、うしろにヒロココが立ってる、これまた懐かしい！

まだ慶子さんもいて嬉《うれ》しい。豪華秘書陣って感じ。

雅子さまのことなど聞かれる。聞きたいだろうなあ、私たちも聞きたいもの。

TVの撮影中にチビラくんが窓ガラスをがんがん鳴らしてし〜と言われていた。

午後はランチで社長と合流。久しぶりに会うけど、メル友なので、なんだか久しぶりと言う感じがしない。この闘病の暗く悲しく希望がない期間、しかもまわりの人たちが次々去っていくなかで、社長とカトウさんだけが「未来！」っていう感じがする人たちだった。かすかな光と言うべきか。

そしてなんとなく思う。この一月から半年、もう犬も猫も人も死ぬわ死ぬわ、どうしたこと？　という感じだ。なにかそういう時期だったのだろう。ここで残った人たちは、父と言い、窪塚《くぼづか》くん（この日記を書いているのは少し後なので、あえてここでコメントします）と言い、まだ生きるという選択をした人たちなのだろう。

まゆみちゃんのお父さんも亡《な》くなった。すばらしい生き方を家族に示して、あの美しく素直でまっすぐな瞳《ひとみ》のまゆみちゃんを遺《のこ》して。まゆみちゃんはお父さんの死から、もう決して消えないなにか大きなものを学んだということが伝わってきた。

愛するものが死ぬのはとにかく悲しい、でも愛情が絶対的なタイミングを与えてくれることを、しっかりと学んだ。そして、寿命はコントロールできないけれど、快適さと愛情を与えることはできるということも。

えり子さんが「ラブ子さんもおとうさんも、基本的によしもとさんをとても愛しているから、まずいタイミングで去ることは絶対にしないよ」と言っていた。そのときはまだ「そうなのかなあ？」と思っていたけれど、今ははっきりと「そうなんだな」と思うことができる。

社長に携帯電話を借りたので説明を聞いているうちに、ヒロチンコが発熱しだした。その勢い、まさに私と同じ風邪……というかチビラにもらった風邪。

とりあえず寝かせて様子を見る。

雨で、バジリカでの朗読は中止。来年はやるぞ！　と思いつつ、劇場でのリハーサルへ向かう。寛子もスーツ姿でなぜかてきぱきと働いてくれて、まるで秘書がふたりいるみたいで、安心する。

それにしても自分で書いておいてなんだが、私の文体って、朗読しにくい……。改善の余地ありだなあと思いつつ、読む。大上先生が字幕をなんとか合わせようとしてがんばってくれるので、頼もしかった。吉田監督の顔がついていたという幻の阪神携帯ストラップをなぜかイタリアでずっと持っているすてきな大上先生……阪神優勝携帯を自慢しつつ、なっつも感動していた。

チビラは本番前に寝だして、ずっと寝ていてくれた。親孝行！

二千人くらいの人がぞろぞろとやってくる。としえさんやリーザやフランチェスカや、なんと！　空港で診てくれた先生まで来てくれた。白衣じゃないのではじめわからなかったのだ。ヒロチンコに処方箋《しょほうせん》まで書いてくれた。すてき〜！

そしてダリオ・アルジェント監督がやってきた。う、嬉しい……。

まずはとても感じのいい女優さんによる「キッチン」の朗読。イタリア語だけど、自分が書いたのでさすがに理解できる。

そして、すばらしいボサノバの生演奏を背景に、「ともちゃんの幸せ」を読み上げる私……。喉《のど》が痛くて声が出にくかったけど、舞台上で音楽の人たちがうまく合わせてくれたり微笑《ほほえ》んでくれたので全然緊張せず、頭の中では校正をしたり、音楽を聴いたりしていた。ジョルジョのほうが緊張してくれたから、しなくてすんだのだろう。いっそああいうオペラ座みたいなところで、目の前が全部イタリア人って、けっこう緊張しないものだとわかった。日本人の結婚式のスピーチのほうが、緊張する。長年の愛によるものか、テレパシーなのか、アルジェント監督にはいつでも日本語が通じる。今回も「また会える?」と聞いたら、「すぐだよ」とイタリア語で答えてくれた。

どたばたとしながら、退場、ホテルで打ち上げ。かわいそうなヒロチンコは薬を飲んで、フルーツサラダを食べて、寝ることになる。

社長もすっかりなじんで長年の友達のようにいっしょにごはんを食べた。社長がいたのもなんともいえずに心強かった。どこかしらスペイン人になってしまっているので、日本人の同じくらいの歳《とし》の人と全然違うさっぱりした感じがあって、特にヒロコとしゃべっている姿なんて、もう、すごくぴったりきた。ヒロココも半分イタリア人だから。友達の友達は友達だ理論は正しいみたいだ。

たくじがヘリのチャーターの大変さをまじめ〜に語っているのに、大上先生が「だったら待機させてることにして、お金をポケットに入れてしまったらええやん」とか

「その場で呼べばへりくらいなんとか来るって」とか「そのくらいのきゅっとした思いをせんと、金はもうからんね～」などと炸裂《さくれつ》する関西魂を見せていて、もうおかしくて鼻血が出そうになった。なんであんなにかしこいのにそしてかっこいいのに、面白いのだろう。ヒロココもすっかり魅せられていた。

「その深い皿にティラミス盛ると怒られるで、あのおっちゃん、自分でよそらせてくれへんから」という名言も残していた。

そして「ワインのおかわり、俺がなんとかしたる。おっちゃん、酒～！」と言って、もういかにも出てこなさそうだったワインのおかわりをせしめていた。

そう……セルフサービスのバイキングディナーだったのに、すごい勢いでさくさくと皿にいろいろ盛られ、かつ下げられていくので、みなとにかくあせったのだった。

まあ、スタートが遅かったから、仕方ない。私たちの泊まっているホテルだったので、朝食でなじみの人たちがチビラをかまいつつ、いろいろ運んでくれて気楽だった。

大上先生、チビラをあやしつつ「そうかそうか、『もうそろそろ帰ろか、明日も早いしな』……って言うてんのやな」

ヒロココ「あれはチビラくんではなく、彼の心の声と見ましたよ」

関西人同士の鋭い突っ込みに満ちたやりとりであった。

6月4日

朝からエンメル監督の来訪。悲しく美しい話をたくさん聞いて、しみじみとする。彼の映画にそっくりな、彼の人生だ。

陽子ちゃんにチビラをあずかってもらい、その間にさくさくと二本のインタビューを受けて、お昼ごはんへ。ヒロココがヒロチンコにスイカを届けてくれると言い張ったので、届けてもらったらほんとうに熱が下がったようだった。

想像を絶する量の食べ物が出てきたが、社長がぺろりと食べていてさすがスペイン人だ！　と納得する。みな口もきけなくなった。

ジョルジョの家の近所にある通称「僕の公園」をちょっと散歩してお茶もして、ホテルへ戻ると、ヒロチンコが二日ぶりくらいに口をきいていた。わかるわかる、急に熱が高くなると、ほんとうにしゃべれなくなるの。

トスカーナは寒いということだったので、あわてて上着など買い物をして、かわいいレストランで晩御飯を食べる。野菜がおいしかった。

社長と涙の別れ。しかしそのあとアイスを食ったとのうわさが……すごいぞ！

でもスペインから来てくれてほんとうに嬉しかった。

チビラはいつでもてもてで、たくさん食べて、にこにこしていた。そしてますますなっつを好きになり、ついに「なっちゃん」と言うようになった。はっきりとではないが、絶対になっちゃんと言っている……。そしてなっつが来ると、いつでも両手をのばして抱っこしてほしがる。

6月5日

いかにもイタリアらしい、レンタカーでの様々なトラブルを乗り越えて、サトゥールニャへ出発。

一通の嵐《あらし》の中、道に迷い、慣れないマニュアル運転をする慶子さんのとなりに乗っていたなっつは恐怖に震え、チビラに会ったときに「もう会えないかと思ったよ！」とチビラを抱きしめていた。そして、「そう、われわれは車をほんの少し移動させようとしただけだったのだ」からはじまるスティーブン・キングの小説の出だしまで考えていたそうだ……。

ヒロココが車の中でものすごいおむすびの歌をチビラに歌ってくれた。チビラ釘付《くぎづ》け。ヒロココを見ただけで笑うようになってきた。そしてたくじの筋肉を押しては「ピンポーン」と言って、にこにこ笑うようになってきた。はじめにしゃべる言葉が「うま〜い」と「ピンポーン」これぱっかりは予想外だった。どんな人生なのかなあ。飛行機の中で放送があって「ピンポン」と鳴るたびに自分でも「ピンポーン」と言っていた彼。

前に行ったときは超寒い真冬だったので、ほのぼのと人々が集うあたたかいテルメの光景に感動する。温泉とはこうでなくっちゃ。でも変わらず水深は二メートル近かったので、必死で泳いでつかるところが、日本と違ってプールという感じ。すごいイオウの匂《にお》いがする、強力な湯だ。ぬるりとした藻がたくさんプールの底に育っていて、ぷつぷつと空気をはいているのがまたいい感じ。まりもみたい……。ヒロチンコが飼うと言って採集していた。オエ〜。「まりもの水槽に入れないでね」と何度も念を押す。

トリートメントの予約などしてから、クララのレストランへ。あまりにも料理がうまくて、ついにレストランを始めたジョルジョの友達のお店なのです。

考えられないくらいにおいしかったので、ばくばく食べた。今回のトスカーナへの旅の目的は、ここに来ることだったので、嬉しかった。彼女のオレンジソースは天才的。給仕をしてくれるご主人に「どうして痩《や》せていられるの？」と聞いたら、「働いているときはそんなに食欲がわかない」という、いかにも痩せている人らしい答えが返ってきた。

食べすぎなのか、服のデザインなのか、ヒロココの胸のボタンが何回もはじける。なっつも「いいものを何回も見た」と言っていた。そしてとなりの席に普通の感じのいい若者たちが来たのに、ジョルジョったらヒロココに、「気をつけろよ。この田舎であいつらはきっと一年以上女を見てないから、ボタンがはずれるところなんか見せたら、この場でおかされま〜す」などと言っていた。失礼……。

星がすごいのを口をあけて見上げながら、ホテルへ帰る。

6月6日

悲しい気持ちで旅しているから全体のトーンが低いのだが、それでも温泉に入るとなにかがチャージされるのを感じる。日本の温泉とちょっと違う、ワイルドな力がある。

午後はもう一回クララのレストランへ行って、またものすごくおいしい「ミルクとスパイスのソースがかかった子牛の肉」を食べる。考えられないくらいおいしい。チビラもたくさん食べたし、ヒロチンコとたくじはパスタをおかわりしていた。

みんなでノルブ先生のチベット寺院へ行く。どんどん大きくきれいになっていて、景色もいいし、いいものを見たという感じがした。

クララさんとアウグスティナスさんと、涙の別れ。

そして夜はスーパーで買ってきたおいしいものを、慶子さんと陽子ちゃんの部屋でさっぱりと食べる。

6月7日

最後の温泉。チビラはお気に入りのココナツヨーグルトを一個食べ、芝生の上で歩く練習をした。いつでもにこにこしてなにかで遊んでいて、ほんとうにえらいと思う。私はこんなえらい子供じゃなかったはず。

午後出発して、またもやレンタカーのことでもめにもめつつ、ヒルトンにチェックイン。

イタリア人になにかを頼むのってほんとうに大変……。予約したらまずそれはそのまま通らないと思ってさしつかえがないでしょう。

ベビーベッドを何回も電話してやっと確保したが、チビラは中でころげまわって柱に頭をぶつけて早速泣いていた。でもミルクを飲ませたらぴたりと泣きやんだ。えらい……。

夕方はナボナ広場をちょっと観光して、久しぶりに会う、フェンディさんちのマリアテレサとシャイさんの新居へ行く。バルコニーからローマを一望できて、かもめがたくさん飛んでいて、夕方の光がきれいだった。お金持ちなのに質素で豊かに暮らしているかわいい夫婦だった。そして、変わらずセンスがいいマリアテレサだった。センスがきわまっているのがわかる。なにひとつ、ずれたものを身につけていないのは当時と変わらず。でもあのコンサバなフェンディ家に育ちながら、どちらかというとアート寄りのあのセンスをきっちりと育ててくるなんてすごいと思う。

家も服も生き方も結局表現なんだな、としみじみ思った。

大好きなマリアシルビアや、アルジェントさんちの上のお嬢さんや、すごく頭のよさそうなピアニストのアレキサンドロスくんや、フェンディ関係のお姉さんたちと魚三昧《ざんまい》の夕食。

　フィオーレ・アルジェントさんは「ハードボイルド／ハードラック」を持ってきてサインをしてくれと言い、さらに、

「この本は私に幸運をもたらしてくれるお守りなの、話もほんとうに好き、そして奈《な》良《ら》美智も大好き」などと素敵なことを言ってくれる。

　私もあの小説大好きなので、嬉しかった。これを好きというあたり、さすがアルジェントさんの娘さん！　と思う。そして幸運のお守りとまで……。表紙からしてハードラックって言ってんのに！

　またもチビラくんは女優にキスされていた。

　陽子のふきかえ「ああ、レオノールね、抱っこされたことあるよ。それにサンディーにはよく抱かれたよね。フィオーレにもキスされたなあ。それにどら焼きは鶴屋《つるや》八幡《はちまん》でなくっちゃいやだね」

　なんだか、いやなモテ男だなあ。

　みなと別れ、そしてジョルジョ、たくじと涙の別れ。またすぐに会えることを切に祈る。もう少し元気な自分で会いたい！

6月10日

飛行機の中でぐずるぐずる、チビラくん。

むりもない……やっと寝入ったところをモスクワで降りさせられた（初耳）ので、変なふうに目が覚めてしまったんですもの。直行便って誰が言ったよ～！

まあ、思わぬ喜びがあったので大人はよかったのです。マトリョーシカを買ったり、キャビアを買ったり……ベタだなあ。なっつは「ピロシキをさがしてくる」と空港内を歩き回っていたし。

チビラがぐずっているのを全員交代でなんとかしている前半、私はあまりにもきびしすぎる映画「コールドマウンテン」を、後半ヒロチンコが「バタフライエフェクト」という後味のわる～い映画を観《み》てふたりとも暗たんとした気持ちになった。「コールドマウンテン」は過去じゃないからなあ、現在だからなあ、人間ってまだまだ進化の余地がたくさんある……。

ニコール・キッドマンのちょっとつんとした仕草って、動物みたいだ。

そして、あのベビーを乗せる籠《かご》みたいなやつは、アリタリアのほうが赤ちゃんにとってぐっとフィットしていいみたいだった。

日本について、家に帰ってもラブ子がいない、なんていうことだ……。考えられない。

12年の重みをずっしりと感じた。家が家じゃないみたいだった。

6月11日

桶谷《おけたに》式マッサージへ。

なんだかこみあっていて、しかも全員が今ばりばりにおっぱいをあげている人たちだったので、気楽な身分がうらやましがられる。つきそいのお母さんがずうっとしゃべっていて、乳を出す本人の声をほとんど聞くことがなかったりしてる組もあり、いろいろだなあとしみじみ人間観察をしてしまった。それというのも卒乳のおかげだ……。

今いちばん嬉《うれ》しいのはワンピースを着ることができることと、自分が食べたものが人の健康に影響を与えてしまうというこわさがなくなったことだ。「自分が手で作ったもの」というならまだ責任が持てるけれど、自分が体内でつくってるものっていうのがこわかった。ストレスとかで体の中でよくない反応が起きてその乳を飲まさせられたら子供もたまらない。

チビラくんの中でも赤ちゃんのチビラくんと幼児のチビラくんが戦っていて、すごく面白い。甘えたいけど、甘えると乳を飲みたくなってしまうので、がまんしているというのが伝わってくるので、「がんばれよ」と思う。彼が自分で決めたことだから、大変だ。

6月12日

完全に燃え尽きていて、なにをしても生きているという感じがしない。看病ってほんとうに心のはりなんだなあ、と思う。ヤマニシくんと村山さんがいるので安心して、月曜日のための買い物……と言っても結局何も買わなかったけど、に行く。靴下でも、と思ったけど、ぴったりこなかったので、やめたのだった。

夜は子犬を見に髙島屋へ行く。

もう淋《さび》しくて、前に進むことをちょっとでも考えないと気が狂いそうなのだった。

ヤマニシくんもいっしょに行く。ヒロチンコとチビラも行く。ゼリ子ちゃんもいっしょ。

売れ残っていてかなり安くなり、大きくもなっている子がいたので、しばしいっしょに過ごす。でも、ケンネルコフになっていて、長引くだろううえに、赤ちゃんや老犬にうつるというので、涙をのんで「それにまだ早いし」なんていって結局、泣く泣くあきらめる。

みんなでごはんを食べて帰る。子犬パワーで久しぶりにすっと眠れた。

6月13日

家にいると泣いてばかりいるので、散歩がてら子犬を見に行く。

「完全に探してるやん!」って言われたらそのとおりだけど、微妙に違うんだなあ……。子犬を見たり、ゴールデンを見たりすると、ちょっとだけ気がまぎれるのです。

砧《きぬた》の暗くて悲しい感じのペットショップにも行く。昨日の子犬と同じ種類のほんとうに小さい子がいて「ううむ、あれはもう成犬だったのだな」としみじみ思う。

ボストンテリアというのにも憧《あこが》れていたのだが、コーギーにのしかかって目を血走らせているのを見て、ゼリ子の運命を思うとかわいそうになり、あきらめもついた。行ってよかった。

チビラを抱いたまま炎天下をぼうっと何キロも歩いているあたり、我ながらかなり落ち込んでいると思う。うちに帰るのがつらい。でも留守にするとゼリちゃんがかわいそうなので、一日三回くらい散歩に行ったりしている。

さらにいぬたまにも行った。いぬたまの子犬はみんな幸せそうだった。いい場所だと思う。でも結局ゴールデンを見てめそめそしただけだった。

だめおしでいつも行くわんにゃんに行ったら、突然かわいい子が入荷していた。ほしかった犬種……。あとでヒロチンコと来ようと思って、お店の人に話す。

そして夜ヒロチンコと行って見たら、子犬に免疫《めんえき》のないヒロチンコがその子を抱っこしてきゅんとした顔をして、うんうんうなずいていた。

小学生の男の子みたい……。

そしてその子犬はうちの子になることに決まった。ワクチンが終わったら、うちにやってくる。事情をしっているお店の人たちが優しく「早過ぎない？」と聞いてくれる。でもみんなその子を気にいっていたので、うちでよかった、と言ってくれた。

これからの15年（長生きしますように！）をともに生きる仲間だ。

名前もハワイ語で「オハナちゃん」（仲間というような意味……同じハラウの人なんかをさす）にした。

ラブ子のかわりはどこにもいないので、悲しいのが減るわけではないけれど、よかった。

6月14日

心機一転、オメガ主催の「海のふた」出版記念パーティへ。

健ちゃんがばたばたと働いているあいだに、すごくキュートなヘアメイクの鈴木さんと楽しく笑いながらメイクをして、ぼくねんさんとの取材をばりばりやる。久しぶりのぼくねんさんは変わらず黒くてかっこよかった。なにをしゃべってもかっこいいというのがすごい。

海が見えるすばらしいパーティ会場へ。

オガワさんとあゆむ先生が華やかにやってきた。もうすでに豪華～！

そして続々と到着する豪華編集者陣たち！ ここで今すぐいい本が百冊作れそうだった。

はじめて本を見たけど、よくもまあ、今日までにできあがったなあと思えるようなおそろしい進行だったのに、ちゃんと見本ができてきた。青にするかどうか最後まで迷ったが、すばらしいできだった。そんなすごいことをしたのに、中島さんがふつ～に来てにこにこして赤ちゃんと遊んでたので、女子たちの好感度がうなぎのぼりだった。

竹井さんと川内さんと丹治くんも来た。みんなおいしいものをおみやげに持ってきてくれた（でもワイン以外、マンゴも佐藤錦もほとんどみんなチビラが食べてしまった……）！

竹井さんは豪華な作務衣《さむえ》みたいなのを着て、下駄を履いて、マージャンパイのブレスレットをして（『これハワイでこうたんよ』と言っていたが……彼のハワイって……）いて、よく会場まで来ることができたなあと感心した。根本さんもすごみがあったが、服装では完全に竹井さんが周囲をびびらせていた。

なっつ「あの豪華な会場で下駄だったのは竹井さんとまほちゃんだけだった」

渋谷社長や武内くんや小湊さんや中嶋さんにも赤ちゃんを見せることができて嬉しかった。それからそっくりな結子と尾崎さんのツーショットを撮ることもできて満足した。てるちゃんとちほちゃんとおつきくんと、久しぶりのカールもやってきた。嬉しかったなあ……。でも私の感激をよそに、カールは私のただ出ている腹を見て「ふたりめですよね～？」と真顔で言っていた。むか～。

鈴やんもハルタさんと慶子さんと加藤さんも来た。うちのいとこ軍団も来た。栗田さんもさっそうといらした。そしてマーちゃんはあゆむ先生にときめいていた。竹井さんも「あのフラのねえちゃんに会えただけでごきげんや！」って言っていた。
おふたりは妙に会話がうまくはずんでいた……。
あゆむ先生「あら～、爪がきれいですね！」
竹井「こうやって上手に乳をもむためや」
あゆむ先生「うんうん、基本ですよね～！　あら、すてきなブレスレット、私もマージャンやるんですよ～、最近」
竹井「ハワイでこうたんや」
あゆむ先生「あら！　私フラのインストラクターなんですよ！」
いい男といい女の、はかりしれない方向へのはずみかたであった……。
でも竹井さんは機嫌をよくしたからか(今までいつでも私の彼氏にはにこりともせずに厳しくメンチを切ってきたので、びくびくしていたのです)、ヒロチンコにはオッケーを出したようなので、これで枕を高くして眠れる。
とにかくそのほかにも大勢の大好きな人が来てくれた。すてきな人たちがきれいにして集っているというのはいいことだった。

原さんが「海のふた」を歌ってくれたが、これまでの「海のふた」史上でも最高の感動的なできだった。海を背景に歌う原さんはほんとうにすてきだった。つい二週間前にライブでこの歌を聴いたときには、まだラブがいたんだなあと涙が出たけれど、いやな涙ではなくて、とてもいい涙だった。

ライブが終わってPAの海平くんと原さんとほっとしたなごみのひとときを過ごす。海平くんがしっかりといてくれたから、原さんもあがらないでいい歌を歌ったんだな、と思った。絶対にPA席から離れない、すごい責任感の彼のために、みなに命令されたハルタさんがいそいそと飲み物など運ぶ女子の係をやっていた。

そしててるこはぼくねんさんと握手をして「うわあ！　今、電気が走った！　すてき～、大きな手！」とひとりだけで運命の電流を感じていた……ふたりとも感じたら、きっと、いいんだろうけど～。

いつ見てもなっつがチビラをあやしてくれていたせいか、チビラも全然泣かなかった。泣かずにハルタさんの口に肉を押し込んで食べさせたりしていた。

そしてまたいろいろな人とちょっとずつしゃべり、夏川りみさんのすばらしい歌をチビとともに聴き、野中ともよさんの明るいキャラを結子が占い、海のすばらしい写真をたくさん撮っているあこがれの高砂さんとお話もして……いいパーティだった……。それからベイリーさんがさっそうとして楽しそうにいつもにこにこしていて、ほんとうにいい会だなあと思った。ベイリーさんと啓子さんは日本の夫婦（？）の中でもいちばん好きな夫婦かもしれない。ふたりが全く同じオーラに包まれているというか……。ちゃんと楽しいことをしているから、仕事ががんばれるということが伝わってくるというか。ベイリーさんがこのパーティを開いたことを心から楽しんでいたから、みんなもリラックスして楽しかったのだと思う。

最後はみんなでお茶をして、美しい加藤さんと井上さんにチビラはでれでれ～と甘え、てるこはいっちょうらをホテルのトイレでごしごしとこすり、私はビールを飲み、家に帰ったら、チビラがやっぱり興奮と時差ぼけで全然寝なかった……。夜明けまできゃあきゃあ遊んでいるので、なんとなくつきあって、私もヒロチンコも力つきた。

6月15日

ぼくねんさんと対談のためにロッキング・オンへ。

文芸の世界に慣れているので、いつも「変わった出版社だな～」と思うんだけれど、なにがどう違うのかはっきりとはわからないのだった。静けさかなあ……いや、違うなあ……。悪いということではなくって、全然ムードもものごとへの対応も違うのです。自分のいる世界を全世界だと思ってはいけないなあ、とこういうときにいつでも思う。

みなで和みつつ、まじめにいろいろ話す。実のある対談だった。

そしてその足でフラへ。和田さんが「たいへんだったね」と言ってくれた。そして、あゆむ先生とサンディー先生もラブ子のことでたくさんなぐさめてくれた。あゆむ先生は犬を、サンディー先生は猫を亡《な》くしている。そういえばオガワさんも愛鳥をなくしたことがあると言っていた。みんな十年以上共に泣いたり笑ったりしてきた家族だ。愛する人間を亡くすのもすごくつらいが、人間だったら、自分以外にもその亡くなった人の人生には、大切な思い出を共有する人々がいる。でも動物にはほぼ飼い主とそれにまつわる人々だけしかいないのだ。それってすごいことだと思う。向き合う度合いが違う。親として生きてきたのに、守ってもらっていたのは自分なのだ。

自分だけじゃないのだから、のりこえようと心から思って、涙は出なかった。

みんなそういう思い出を秘めてこうして美しく踊っているんだから、いつか私も立ち直るだろうと思えた。

はじめは「ついこの前ここに来たときはまだラブ子が家に待っていたのに」と涙が

目のふちまできていた状態だったが、少し立ち直った。

トリマーのカツマタさんが来ていたので、場所とかいろいろたずねる。あゆむ先生やカオリン先輩もカツマタさんのところに行っているとのこと。すばらしきフラ犬ネット！　のこされたゼリちゃんと今度来るオハナちゃんのために、いろいろ聞いてみた。

少しずつ、未来に心が向きながらも、ラブ子のことを忘れることは一生ないと思う。私が死ぬときはきっと迎えに来てくれると思う。そうしたらまた会える。

6月16日
俵万智《たわらまち》さんと対談。同じくらいの歳《とし》の赤ちゃんがいるので、楽しみ！

パレスホテルに行く。鵜飼さんもいた。

鵜飼さんがたったひとこと「これからは暑いから赤ちゃん大変ですね……」と言ったとたんに、全《すべ》ての元女子から「暑いほうが楽なのよ！」「冬がたいへんなのよ！」などと怒号が……。

小屋敷さん「ほんと～うに子育てしてないんですね！」

尾崎さん「誕生日とか、知ってます？」

さすが、新聞記者のつっこみは鋭い。鵜飼さんがすごすごと帰っていった……。

対談はもともと知り合いだったことと、歳が近いこと、お互いの作品に好感を持っていることですんなりと進んでいったと思う。

新作の「トリアングル」も「プーさんの鼻」もほんとうに迷いがない健全な文体で、とてもよかったのです。「プーさんの鼻」はうなずきすぎて首が痛くなっちゃった。

そして「トリアングル」は、全くグチっぽくなく、いさぎよい主人公のことを悪く思う人もいるかもしれないけれど、つらさというのを書いてないだけで、ほんとうはいろいろ切ないこともあるよというのがよく伝わってきた。そのいさぎよさ健全さが私の嫌いな不倫の感じではなくて、いいなあと思った。口に出さないことこそが、自分の立場への答えなのだという感じ……。そうだそうだ、みんな自分の人生をそうやって生きればいいのだ！と思った。

俵さんのバランスは、ほんとうに人にものを教えるのにふさわしい人だと感じさせられた。そして私たちが両方四十だなんて、サギだ……。

ヨーロッパでばかみたいにはやっていたマルーン5の歌が耳について離れん！

妙にハリのある魅力的なヴォーカルと、あまりにもよくある感じのおぼえやすい曲……これこそがヒット曲！　歌詞はどういう感じだろう……と思って聴き取ろうとしてみたけれど、よくわからない。ヴィデオクリップはすごくばかっぽく映っている。なんていうか、あらゆる意味で「おばかさん版のウィーザー」っていう感じだった。そして鈴やんにCDをもらったので歌詞を見てみたら、まさかと思っていた「She said Goodbye too many times before」って言っていた……。すごい……外人なのに、日本の中学生みたいな英語……。

でも、バカっぽいと思いながらも、この切ない季節を思い出すたびに、つらい体験を思い返すたびに、この曲がよみがえってしまうんだろうなあ、と思った。

というのも、出産直前の冬に何回も聴いていたミスチルの歌とか、今聞くとすごくきゅ～んとなるからです。自分で選んで聴いていない曲ほど、時期とだぶるというのってあると思う。

6月17日

松家さんとうちあわせ。

お昼のポルトガル料理バイキングを食べながら、チビラも連れて、なんとかいい本になるように話し合う。

そして父の日のものとかいろいろ買って、夕方は実家へ。

ちょっとだけ藤澤さんのおうちに寄って、大きくなったチビラくんを見てもらう。いっぱいおかしをいただいた。そして事務所にもちょっと寄ったら、今夜はおじょうさんたちもたまたま予定がないということで、実家にさそう。

私「慶子さんとハルタさんもいいかしら？」

姉「今日はあまりたくさん作ってないけど、大丈夫かな～？」

私「みんなで分けて食べようよ」

……なんて言って損した。全員が思う存分食べて具合が悪くなって横になるくらいの量の食べ物と、コロッケが二十個くらいあった。なんだったのだろう？　あの発言。

なっつとヒロチンコだけで行かなくて、ほんとうによかった。

おばあちゃんがひたすらに枝豆をむき、チビラがそれをおじいちゃんの口に押し込んでいた。これ、孫が間に入っていなかったらただの「あなた、あ～ん」なんだけれど、そんなこと絶対にしないから、孫はかすがい？　だ。

食べすぎで出た腹を何回もハルタさんになでてもらって、妊婦でもないのに嬉しかった。

6月18日

帰国後の仕事ラッシュが終わったので、気が抜けてほんとうに立っていられないくらいになってきた。ちょうど今日はマッサージの日！　よ、よかった……。台に寝てすぐに寝こんでしまった。一時間半くらいほとんどぐうぐう寝ていたけれど、すごくきちんとほぐされていた。

関さん「いつもよりもうんと柔らかいよ、よしもとさんの体じゃないみたい」

まさか、温泉の効果が？

陽子「すごくかたい状態から、ぐにゃっとなったときがいちばん疲れた感じになるかも」

そうだったのか、だから、こんなに疲れている感じがするのか！

というわけで、どうにもならないのでもう指定食堂の焼肉屋さんへ。混んでいるわ〜、と思ってふと見たら、アキヤ夫妻と妹さんが……！　先日のへべれけ会のリベンジか？　と思いきや、明日から断食《だんじき》に行くから今日は焼肉！　と言ってがんがん飲んでいた。

その……考え方が……すでに断食と遠い気が。きっとその場で、すごく酒臭くにんにく臭いたったひとりとして、今頃断食に臨んでいるでしょう……。

6月19日

お手伝いさんのムラヤマさんとお別れ。お孫さんが産まれるそうだ。お手伝いさんって、みんな働くスパンが短いんだな。も、もしくはうちがきつすぎるのか……きついのかも。みんなベビーシッターがやりたくて、おそうじは苦手みたいだ。その逆の人、絶対いると思うんだけど。

でもベビーシッターヤマニシくんがさっそうと登場して、むちゃくちゃわんぱくのチビラと遊んでくれる。最近のチビラくんはたまにおっぱいを触りながら、じっと葛《かっ》藤《とう》していてかわいい。そしてそれをふっきるようにむちゃくちゃに暴れるのだった。

ムラヤマさんと涙の別れ。ああ、もう何人見送ったかしら……。

夕方突然わんにゃん倶楽部《くらぶ》から電話がかかってきて、もうワクチンを一回うったから、オハナちゃんをひきとっていいよと言われたので驚いた。というのも、たえきれずヤマニシくんと「あとで見に行こうか〜」なんて言っていた直後だったからだ。

小さくておとなしいオハナちゃんを子連れですばやく迎えに行く。いろいろ説明を聞いたり、ワクチンのことなど調べたり。

帰ってきてすぐにサークルが小さすぎたのを取り替えて、いじけたゼリちゃんを散歩に連れて行って、落ち着かないオハナちゃんにごはんを食べさせ……ヒロチンコが帰ってきて、みんなできゅんとなりながらごはんを食べに行った。

悲しいと私はぶくぶくむくんでくる。きっと涙が体にたまるんだわ……というのはうそで、きっと腎臓もうまく働かないし、食べたものが消化されないような感じになる。またもりもり食べてたくさん飲める日まで時間がかかる。

悲しいならやせろよ〜！　と自分でも思うけど……。

オハナちゃんはラブ子じゃないから、そういう意味では悲しいのは終わらない。でも、家の中に小さい光があるみたいな感じがする。チビラも同じ歳くらいなので、興味を持ってのぞいたり手を出したりしていた。

6月20日

顔面になにものかの（決まってるけど）すごいキックをくらい、朝八時に目覚めた。寝たのは三時……しかたなく起きだして、ゼリちゃんの長い散歩に行く。オハナちゃんは立派なウンチをしていたので安心だった。

そしてそうじしたりパンを食べたりミルクティーを飲んだりして、ヒロチンコを送り出して、二時間くらいしたらものすごく眠くなったので、ばったり寝てしまった。うすれゆく意識の中でなにものかが（もちろん決まっているけど）ばしんばしんと私の腰をたたいていたが、どうしても起きられない。はっと目覚めると、空がすごくい感じで晴れていて、頭もすっきりしていて、おなかの上でチビラが寝ていた。私が起きてくれないからつられて寝てしまったのだろう……。

なのではやいうちから夕ごはんを用意し、涼しくなったのを見計らって一杯のビールを飲みに行く。子連れでひとり酒を一杯というところまで、やっと来たと言うか、慣れたのか……と感慨深し。

慣れすぎか……？

チャカティカに田中さんが来たので、しばしお茶をして、オハナちゃんを見に寄ってもらう。ワクチンが一回しか終わっていないから、まだサークルから出せないので「抱っこしたい！」とくやしがっていました。

夜は夜でチビラはひきだしをばーんと開けてグラスを割った。そしてその割ったグラスをじっと持っていた……あぶな～い！ 最近ほんとうにあぶない。「今がいちばん大変よ」ってみんなが言うとおりだ。しかも高校生とか大学生の男の子の親まで言うんだから、間違いないのだろうなあ。

私はあわてて大きく割れたグラスのかけらの上を通ってしまったが、なんと、怪我《けが》しなかった。

というのは奇跡とかではなく、ちょうど尖《とが》ったところが丸く下を向いていたからだった。これって、ガラスの破片の上を渡るナポレオンズの手品の種明かしで見たなあ……見たときは「そんなバカな！ できっこない」と思ったものだが、自分でやる日が来るとは。

6月22日

フラへ。

発表会にむけて、どんどんみながうまくなっていく。必死でついていく感じだった。それにしてもあまりにも先生たちがきれいなので、まるで竜宮城って感じ……。習ってる人たちもどんどんきれいになっていくという気がする。なんでだろう？　この秘密についてはじっくりと考えて小説にしよう。それぞれがそれぞれをつきつめるしかないということだけは確かなことみたいです。「なんとなくハワイ？」というところ以外、みんなそれぞれが他の人とはどんどん違ってくる。たとえばうら若いしおり先生……ふつうに考えたら、すごくスタイルがいいわけでも（でもすごくバランスがいい）、日本人的にはものすごく顔だちがきれいなわけでもないのかもしれない（南洋系美人）。でもまるでダイヤモンドみたいに輝いている。踊ってなくても踊ってるみたいにかわいい。毎日でも見ていたいくらいかわいい。毎日でも見たい、それが女の人の美しさの鍵《かぎ》ね。

あやこさんが帰りに、お父さんが亡《な》くなったときにたくさんの小さな幸せがあった話をしてくれた。すごくよくわかった。犬と親をいっしょにしてはいけないけれど、今回は父も入院して手術したので、やっぱり高齢だし多少覚悟もしたから、それも含めてです。

普通に生きていると、忙しいから家族とむきあう時間が少ないし、いっしょにいてもどこか上の空になるものなんだけれど、命の問題がからむと、みんながそれを意識してぐっといっしょにいるから、小さいことでも嬉《うれ》しいし、きらきらしたり笑ったりするものだ。

帰ったらりかちゃんからすご～く優しいメールが来て、みんな愛する動物を亡くしたことがやっぱりあるんだな……としみじみした。ほんとうに、忘れることなくずっとおぼえていようと思った。ラブ子のことを。

そしてなるべくオハナちゃんを健康でのうてんきに育てよう。

ゼリ子も長女生活を満喫させてあげよう……。

6月23日

英会話。かわい～い子供たちと英語でしゃべって、幸せになる。

子供って……みんな同じ。ほんとうは。もちろん邪悪な人も必ずいるとは思うんだけれど、それって遺伝とか脳とかそういう問題だろう。普通の子はみんな同じ。関心をもたれたいし、いつでも大人の人の顔色を見ているものだ。

このあいだあるお店のおざしきで、赤ちゃんにも子供にもとんちんかんなお母さんたちを見た。子供はただ優しい声で普通に話してほしいだけだというサインを全身で出しているのに、全部読み違えて間違ったおもちゃや食べ物や言葉を投げつけるように与えていた。「君はそれが好きなの？　これはいやなの？　じゃあこれが好きなのはどうしてか聞かせて？」それだけでもう、彼は大丈夫になるのに、投げつけられたらなにをもらっても悲しい。肉ばっかり食べて怒られてもしかたない、だって野菜を食べても無関心でほめてくれないし、どうせほめてくれないんだったら肉のほうがおいしいから食べちゃうだろう。

私だって自分の子供にはそういうことといっぱいあるけれど、ああやっていつでもなにも通じないと、どうでもよくなって、だんだん顔が閉じていくんだろうな～と思った。

誰がどう見ても「ママが赤ちゃんばかり見ているので、一瞬でもいいからママといっしょに外に行きたい、それがだめならおばあちゃんでもいいから、自分だけを見て」と言っているのに、それがうまく言えないから、別のことをしてしまって、ずっと怒られていた。これが大家族なら誰かがいつでもひとりくらいわかってくれるものだけれど、お母さんしかいないから、ずっとわかってもらえないままだ。でもお母さんがいちばん好きなのは仕方ないから、仕方ない。親の持っている権力って暴力に近い大きさだ。

子供は子供だと思っていると大間違いで、大人以上に大人の全身から出ているムードを読み取っているものだと思う。

赤ちゃんのプロである関さんたちはそういう通じないものをい〜っぱい見てきたんだろうなあ……。

でも、キリスト教の家のか〜わいい子供たちはにこにこして会話をしてくれて、握手とかハグとかキスとかしてくれたので、ふらふらっときてその人たちのやっているキリスト教に改宗しそうに……ならなかったけれど、この教室、美女軍団の次は若いハンサムが、ハンサムの次はかわいい子供が！　みんな入りたくなってしまうのでは？と思いました。

ぽうっとなって英会話にならないくらいだった。

夜はオガワさんの行きつけの店に連れて行ってもらう。おいしくて感じもよくて、とっても楽しいひとときを過ごした。オガワさんの美しさとアンバランスな妙なかわいらしさ、これまた見飽きることがない。あんな掘り出し物を毎日フリーでうろつかせておくなんて、世の中の男子は間違っています。そして私の人生はほんとうにお得だ……美人見放題！　やり放題ではないが……。

近所なのでゼリちゃんとなっつといっしょに送っていった。近所っていいわ〜。気軽だし。

6月24日

午後、木村さんの椅子《いす》が届いた。生前一回お会いしただけだけれど、すばらしい人だったので、きゅんとなった。この椅子にすわってこれからは仕事しようと思った。健ちゃんのお誕生日を祝って春秋へ。かくこさんがへとへとになりながらも、チビラに優しくしてくれた。チビラはでれでれになって抱っこされて外の世界へかけおちしたり、妹さんとのあいだで板ばさみになってにやにやしていた。男って赤ちゃんでも露骨……。

春秋はあいかわらず普通の人がゼロで、この世の中は業界の人しかいないの？　というような気持ちになった。でも、あまりにもおいしかった。年を追うごとにさっぱりした風味になっていくのもすごいと思った。お店って忙しいとどんどん味が濃くなるんだけれど、そういうのも全然なくてどんどん澄んでいく感じだった。

6月25日

考えてみたら、二ヶ月の赤ちゃん犬って一回も飼った事ない。いつでももう大きくなってからもらってきていた。なので、下痢《げり》とかされるとものすごく動揺。成犬と違うから、ひやひやする。子犬にばっかり慣れているわんにゃんの人たちに電話して教えをこう。

午後はホメオパシーへ。

チビラのアトピー、絶対にホメオパシーで治ったと思う。アレルギー体質は変わらないから注意は必要だが、どう考えても、ありえない治り方だった。

私もこの時期に通っていてほんとうによかったと思う。いろいろためなくてすんだし、肉体的な疲労も最小限ですんだ。授乳と看病が重なった時期はほんとうにきつかったからだ。あんなにはりつめたことってこれまでにないかも。まだ体の力が抜けない。今、この気が抜けている状態をどうやって時間をかけてたてなおしていくかが肝心だと思った。このところバラとローズクォーツばかり身につけていて、口内炎もたくさんできる……いろいろ細かい説明ははぶくし、専門家ではないので質問にも答えられないけれど、悲しいときの特徴だというので驚いた。ただピンクで癒《いや》されるとかそういうのではないんだな……。

さらに、睦稔《ぼくねん》さんがある時期からいきなりバラをどんどん描き出したけれど、その時期もぴったりきていたから、なにか交感していたんだな、としみじみ思った。

帰りはいつもの野方のカレー屋さんに寄って、私のサイトを見てそこに行ったという水道橋博士からの本をたくさん受け取る。前に謹呈サイン本をいただいたときには「きっとみんなにくばっているに違いないわ、私だけじゃないいんだわ」と思ったけれど、お手紙がついていて、いつもサイトを見てくださっているとのことじゃ。ほんとうに読んでくれてるんだ……。う、嬉しい……オフィス北野の紙袋も、一生捨てられない……。「お笑い男の星座」はすごい名作だと思っています。3、4、5と出してほしい。しかし、私のいったいなにを、評価してくださっているのだろう……？　こんなに猪木イズムとは遠い私を……。あと梶原一騎先生もなにを読んでも「床に寝ると痛そうだな」とか「生で食べるとかたそうだな」とか「岩清水くんも誠もいやだな……」とか「あのちゃぶ台なかなかこわれないな……」とか思ってしまう軟弱な私を！

遠くないって誰も突っ込まないで！

今までいろんな仕事をいっしょにしてきたのに、水道橋博士から手紙をもらったことと、ゲッツ板谷さんにバーベキューに呼ばれたことが、いちばんなっつに尊敬されることだった。これでいいのか〜？

なっつ「まほちゃんはきっとほんとうはそういう人間なんだ」

そういう、ってどういう？

カレーは限定五食のを食べてしまったけれど、甘くてすごくおいしかった。角煮もやわらかい。ソーセージもおいしかったし、アスパラのゆでかげんもそのたれもすばらしかった。どんどんおいしく進化している感じだった。

ホメオパシーがヒットしたらしく、チビがもう意識不明という感じで寝ている。つられて私もすごく眠い。

そして起きだしたチビラくんは、ねぼけて引き出しから小さい急須と茶碗《ちゃわん》を出して、正座して、急須から茶碗にお茶を注ぐまねをして、茶碗を持って飲む仕草までをひとりでやっていた。きゅ〜ん！ 親のやることをいつも見てるんだ……ほんとうは参加したいんだ〜……。

「ホームドラマ！」すばらしい〜……ドラマだった。なにからなにまで大好き。誰かが病死したり、解散しないところなんてもう最高！ この世の風潮を無視してるところも大好き！

そしてモザイク取られてもいいから、江原先生に霊視してほしいわ……と思いつつ、寝る。

オハナちゃんは下痢で食事抜きでほんとうにハラペコそうでかわいそうだが、朝病院に行くつもりで、かわいそうだがお水だけで干しておく。明日はきっとなにか食べれるよ！

6月26日

寝不足でよれよれだ……。

ヤマニシくんの買ってきてくれたパンで命をつなぐ。

そして久々にえり子さんに会いに行く。ゲリーの話とかしてもりあがる。今の私はとにかくもぐらたたきをするといいんじゃないか？ ゾンビを撃つとかさ〜と言われた。酒は飲みすぎないほうがいいってあたたかいアドバイスまでしてくれた。年下なのに頼れるなあ！

えり子「ほろ酔いかげんでやめておいて、ゲーセンに行ってゾンビを撃ちまくってからカラオケに行ったら？」

私「高校生男子じゃん！ それじゃ！」

帰りにヤマニシくんにお誕生日プレゼントのコブタシリーズ第二弾として、ブタの貯金箱を買う。

夜中にまだオハナちゃんが下痢だったので、心配して病院に行く。薬をもらってきたら飲んで落ち着いたようだった。検査してもらって、こっちも落ち着いた。とにかくがつがつがつがつ食べているので、大丈夫だと思う。なにぶん小さすぎるからなあ。飼っておいてなんだけれど、やっぱり三ヶ月までは子犬は親元にいるべきだという気持ちを強くした。

ラブ子が食べられない様子をずっと見ていたから、オハナが食べているのを見てすごく嬉しく思う。そして、あんなに食べることが好きだったのに食べられなくなったラブ子を看病していて、私は食べないことがばかばかしくなり、年齢に合わせたダイエットを忘れて食べている。暴飲暴食はしないけれど、楽しく食べてほどよくおばさん太り（？）をすることにした。だって、食べてるうちだけが人生だもん……。

6月27日

寝起きに「お笑い男の星座」を読んで、げらげら笑う。

すごい寝起きだ……。

日曜日は特にラブ子がいないことがしみてくる。もう会えないのか～……会いたいな～とかばっかり思っている。時間がかかる。まだまだかかる。

でも子犬はかわいいので、まったりとすごし、ごはんを作り、チビラと遊ぶ。

夜、しょんぼりムードでごはんを食べてからウルルンを見ていたら、突然にご近所さんの奥さんが「魚を見ませんか？」とやってきた。「食べませんか？」でも「いりませんか？」でもなくだ。

それでどれほど大物が釣れたのかとあわてて見に行った。

なんと！　巨大なヒラマサが二匹、廊下に横たわっていた……想像の三十倍くらい大きかった。こんなの個人で釣れるの？　とほんとうにびっくりしてなんだか元気が出た。ご主人が金曜からずっと釣りに行って、なかなか釣れなくて、でもやっと釣れて、まるで死体が入っているような大きさの保冷バッグに入れて持ってきたそうだ。ご主人はさすがに疲れているけど生き生きとしていて、奥さんもにこにこしていて、楽しい！　って感じが伝わってきて、すばらしい雰囲気だった。

いいものを見た～……。

ありがとうございました。

6月28日

ももたさんと下北デートをした。原画もいただいた。かわいい……。色もきれい。セクシーでかわいくて優しいももたさんそのものの世界だ。

ビレッジバンガードで漫画をたくさん買い、ハクション大魔王のつぼを買いそうになったが、重いのでやめた。でも「バクネヤング」が一冊になったやつが同じくらい重かったので同じだった。私の本のところに「吉本ばななは小説界のホームラン王です」というようなことが書いてあったので、すごく嬉《うれ》しかった。

「バクネヤング」の松永さんって、すごい才能だと思う。絵がうますぎる。でも、ほんとうに変わっている。これぞ芸術家……。彼の描くエロスはいつでも底なしだ。そしてなんとなく思う。「彼はきっとアトランティスから来たんだわ～」って。

それからかわいいカフェでごはんを食べた。仕事の話もしつつ、ヨガのこととか、いろいろしゃべった。ためになったし、楽しかった。久しぶりになんだか楽しいっていう気持ちになった。ももたさんって、なにかそういう、人をわくわくさせる世界を持っている。

まだまだいろいろしゃべりたかったけど、美容院の予約が！　時計を読み間違えていて遅刻して道にも迷い、ぺこぺこあやまって、パーマをかけてもらう。頭に重いものを巻いているのはとてもつらく長い時間だったが、ていねいにやってくださったので、おかげさまでよくかかった。

チビラごと迎えに来てもらった。すばらしい腕前の荒井さんは、さすがチビラを見ていきなり「あ、髪の毛まだ切ってないんだ」と言っていた。

そしてみんなで小龍包《しょうろんぽう》を食べた。口内炎のせいであまりものがおいしく食べられないからくやしかった。ちょっとだけ食べて、静かに帰った。

そして銀色さんのつれづれノートの新刊を読んで、遠くにひっこして会えなくて淋《さび》しいけど、元気そうでよかったなあと心から思った。銀色さんってすごくすごく変わってるけど、自分というものがいつでもあって、自分という窓から外を見続けてくれるので、読むのがいつも楽しみだ。独特できれいな色の水の中につかったような気持ちになる。

6月29日

オハナちゃんの病院へ。血液検査もして、異常なし。ほっとする。

おなかが妙にふくれていて心配なので……とレントゲンを撮ったら、なんとそこにはごはんがいっぱいにつまっているだけでした。先生にも笑われた。

そのままフラへ。

おそろしきビデオ撮りだったけれど、みんなに優しくはげまされ、かつみんなのかわいい踊りを見たので満足した。オガワさんとあやこさんと慶子さんの華麗なうまい踊りも見てほほうと幸せになったりもした。ほかにもすごくうまい人がいっぱいいて、みんなすてきだった。それぞれそれを生かしている感じ。

踊りは人柄というか、やっぱり生き様だ。

オガワさんは春風のような優しさが、あやこさんはセンスのよさが、慶子さんは運動神経のよさが、それぞれひきたっていた。

おもしろ～い！　もはやフラウォッチャー！　というよりもフラガールウォッチャー！

私も自分について発見した。私はすごくリーチが長いのに、なぜかいつでもわきをしめていて、背が低い人のような腕の使い方をする。それで踊りが小さくなりがちなのね。これは改善できるし、すると歩くときにもなにかといいかも。重心が高いのは、今のところまだ股《また》を痛めているのでしかたなしとしよう。ここで無理してもっとこわしたらだめだ！

6月30日

大海先生と池袋で対談。

しかし高速が事故渋滞で下の道で行ったために、遅刻……。

ほんとうにぺこぺこあやまる。あやまりたい！

原画はすばらしかった。

そして大海先生もすばらしかった。ひとつひとつの言葉をきちんと発するということの深みと重みを知った。いつか私もそうなれるだろうか……尊敬できる人だった。

私が小さいときから持っていた「ビビを見た！」にサインをしてもらった。幼い私に教えてあげたいな、いつか大海先生にサインをもらえるんだよ、人生はすばらしいよって。

そして絵もなんとなく似ているけれど、大海先生はなんとなく原さんに似ていた。なにかが。

最後にどうしてももう一回原画を見たくて、もう一回リブロに行った。

そうしたらファンの人が何人かいて、大海先生はゆっくりと、確実な動作でていねいにサインをしてあげていた。浮ついた感じが全然なくて、親のようでさえあった。

「いっぱい食べて、いっぱい笑って、いっぱい泣いて、いっぱい怒って、いっぱい幸せになっていってください。お祈りしています」

と大海先生は別れ際に私に言った。言うのは簡単な言葉だけれど、この言葉にほんとうの意味と祈りをこめることが、他の誰にできるだろうか。私の胸にその言葉はずっしりと碇《いかり》をおろした。

言葉というもののおそろしさ、そしてすごい力を実感した。それから、ずっとひとつのことをやってきた人のいい意味でのすごみもあった。

ほんとうに好きな本を書く人が、ほんとうにすばらしかった喜びよ。リブロに「海のふた」がどどんと並んでいたので、嬉しくてむりやりたくさんのサインをさせてもらう。店の人が迷惑しなかったかどうか心配だ。

ぞろぞろと行ったみんなでとんかつを食べた。ハルタさんが「とんかつ食べたい」と言ったときには、大感動した。だって、いつでも私がとんかつ食べようというと、みんながしぶしぶついてくる感じなんですもの～、この人生！

池袋の地下道にはたくさん思い出があるのに、全然懐《なつ》かしくなかった。空気が悪いからなあ……。ヤマニシくんがじっとマナカを守りながらベビーカーを押してくれたので、ほんとうはすごく感動していた。黙っていろいろできる人って尊敬する。

てくれて、ああこんな状態でもこの子は私のことを想ってくれてる、こんなんじゃこの子のためにならないと思いました。

そこで質問なのですが、私は犬のことになると冷静になれません。ばななさんは本当に犬のことを考えて冷静に行動されていたように見うけられますが、どうしたらそういうふうにできますか？

(2004.06.17－カオ)


ある程度は慣れですね……小さいときからたくさん見送ってきたので。でも、ラブ子は特別だったし一生特別だと思うので、明るくふるまうのがきつかったです。でも、人間ってばかなもので、明るくふるまっているうちにほんとうに明るくなってきて、最後のほうの日々はけっこうお互いに幸せでした。楽しさに包まれていて、私もわりと家にいたし、平穏でしたよ。私は、日本人は涙を大事にしすぎていると日ごろから思っているので、涙よりも大事なものにいつでも目を向けていたいのです。

(2004.06.19－よしもとばなな)

先生の本を読み始めました。

毎回毎回本を読む度にぴったしかんかーんだという文章があって嬉しいです。自然に体に文章が滲み込んできて潤います。本当に感謝！　感謝！　です。

今まで読んだ８冊の本の中では「ＴＵＧＵＭＩ」が１番好きです。つぐみのキャラと日本の海の感じがとても印象に残っています。

さて質問なんですが、ニューエイジなどそういうのに影響を受けぶっとんじゃったとか地から足が離れたという感覚になった体験はおありですか？　あるならその状態からどのような方法で脱却しましたか？　参考にしたいです。

僕の場合はマラソンして上手く体の感じを取り戻します♪

(2004.05.30 - ＴＡＫＡ)


私は普段が現実的すぎるほどに現実的なところがあるので（実用的というのでないのが悲しいのですが）、一回もそうなったことはないのです。どんなとんでもないことを「そうだよな」と納得しても、なぜか地に足はついたままです。でも肉体があるってそういう意味だよな、と思います。地から足を離さないことが、生まれてきたことへの敬意ではないだろうか。お互いにしっかり体に入っていましょう！

(2004.06.01 - よしもとばなな)


ばななさん、こんにちは。

ラブちゃんの日記や写真、とても心打たれました。犬は本当にどんなときでも飼い主（大好きな人）のことを考えてくれ、想ってくれるのが嬉しいけど切ないです。

私も自分の飼ってる犬が病気のとき泣いていると動くことも困難で、水もほとんど飲むことができないのに私の涙をなめにきないときに、いくら愛する人でも二十四時間いっしょにいられたらきついですものね)、ふだん通りに生活して、できる看病はみんなしてあげて、苦痛をやわらげることだと思います。

仕事を辞めるのはやりすぎではないと私は思います。むしろ、辞めたかったのをワンちゃんが後押ししてくれたと解釈すべきでしょう。

私も最後の二週間は執筆していませんでした。

ラブ子に関して言えば、トイレに行けなくなっても安楽死はさせない覚悟でしたが、もしも腫瘍が鼻と口を完全にふさいで、息ができなくなったら、それもありだなと思いました。苦痛が大きく、意識がないようだったら、安楽死させたかもしれません。その判断は、その場になれば必ずできます。感情的にならなければ、把握できると思います。

うちは幸いそういうことはなかったので、天寿を全うして自然に息をひきとりました。

犬は飼い主が重く暗いといちばんつらいのです。明るく、いつもどおりに、でも意識を向けて、最後の日々を幸せに過ごしてください。そして犬は飼い主のためだけに生きているので、本人？　が飼い主に看取られたければ、外出中には絶対に死にません。見られたくない子だったら、必ず留守中に死にます。そこはあまりコントロールしようとしないであげてほしいと思います。

(2004.05.31－よしもとばなな)


こんばんわ!!

中間テストが終わってほっと一息ついてこれを書いてます。

ちょっと前までニューエイジにどっぷり漬かって、宙ぶらりんの状態でした（今でもですが……)。こりゃちょっと肌で感じるとかそういう事しなくちゃまずいと思ったさなかに、ばなな向こうが甘い甘い、理想は全部かなうものなので、高く持ったものが勝ちです！　十年後に差が出るのですぐわかります。

私はなにひとつ妥協しないようにしています。背伸びもしているうちにほんとうになっていくことが多いです。

(2004.05.15 - よしもとばなな)


こんにちは。

わたしは14歳の時から14年間犬を飼っています。その犬が数ヶ月前、末期がんのため余命１年未満と宣告されました。それで四月から、仕事を辞めて介護をしてます。あと数ヶ月、限られたときをいっしょに過ごそうという、わたしにとっては自然な選択でした。

よしもとさんの日記から察するに、ラブちゃんとうちの子はかなり近い状態なのかなと思っています。いつもラブちゃんに関する記述は息を詰めて読んでしまいます。ひとごととは思えなくて。

そこで質問をしたいのですが、仕事を辞めることはやりすぎだと思いますか？　そして安楽死に関してどのようにお考えでしょうか。

いまは犬と共にわりとすっきり明るく生活してますが、上記の２点に関しては周囲とちいさな衝突が度々起こり、すこし苦しいときがあります。よしもとさんの動物にたいする姿勢にはいつも深く共感してきました。何か一言いただけると嬉しいです。

(2004.05.30 - ｈａｌ)


ラブ子は亡くなりましたが、みんなに看取られて幸せでした。

私の感じでは、動物は死ぬ直前まで死ぬという気がないので、みんなが緊張していたりものものしいのがすごくつらいみたいです。なので、なるべく外出もして（だってもし自分が余命少読んでいてものすごく見てみたくなりました！　満月というのが特に惹かれます。きっと石川賢治さんの写真集にでてきそうな神秘的な景色なんだろうなぁと思いました。

(2004.04.27－ケモ)


見ました！　熱海で。タクシーの運転手さんが「今日はきっと富士山すごいよ」って言って、山の上まで連れて行ってくれたのです。

あまりにも不思議な光景で夢の中にいるようでした。

満月だとほんとうに明るくて真っ白に浮かび上がっているのです。あのへんの人たちはああいうのを普通に見て育っているってすごいことだなあ、と思いました。

(2004.04.28－よしもとばなな)

こんにちは☆ばななさん
ばななさんの本に元気をもらっている、大学生です。

昨日友達と、将来や自分の考え方について話していたのですが、その時に感じたのが、「自分の考え方は理想を求めすぎているのかも」ということです。実際、話し相手からも言われたのですが……。現実は私が考えるほど甘くないのでしょうが、まだ妥協はしたくないのです。だめならだめで、自分が本当にそれを思い知るまでは、自分が思うとおりにやってみたいのです。

ただ、一方で、自分でも、こんな考え方でいいのかなぁと不安に思います。現実に沿った生き方でないと、理想論だけでは、幸せになれたりうまくやっていけないだろうなぁと思います。

ばななさんは、自分のこういう風に生きたい、という考えと自分の現実の人生に、どう折り合いをつけておられますか？

(2004.05.13－グリ)

きたというメタファーだと思います。

(2004.03.30－よしもとばなな)


ばななさん、こんばんは。

私はものをつくる仕事をしているのですが、その作業の過程で、自分の中からものすごく破壊的なエネルギーが湧いてくるのを感じます。つくるという作業に没頭すればするほど、反対に自分の内側は壊れていくような気がするのです。べつに頭がおかしくなるとか、日常生活に支障をきたす、ということはまったくなく、いたってのんびりと暮らしているのですが。

ばななさんも小説を書いていてそのような気持ちになりますか？　もしなるとしたら、どのようにして自分自身を保っているのですか？

(2004.04.03－ampoo)


わかります。すごくよく。

私は、とにかく肉体の不快を最小限に保つことで、なんとかしている感じです。それから、連続して二作品を創作したくなっても、物理的に時間をあけるというふうにしています。脳の疲れは、そういうふうにするしかないくらいに、破壊的なものだという気がします。脳は脳だけでその機能がどんどん回転し、展開していくので、そっちにひっぱられないように肉体をグラウンディングさせるという感じです。

(2004.04.05－よしもとばなな)


ばななさん、こんにちは。

「ハネムーン」で夜の富士山の場面がありますが、ばななさんは実際に満月に照らされた富士山を見たことはあるのでしょうか？

プレス」まで登場するのはいつも色々な形で親や社会に捨てられた子供ばかりです。「ゾンビ」ですら社会や運命、何か大きな物に捨てられた人々の絶望的な孤独が描かれています。

考えてみれば彼の映画の殺人手口はいつも幼稚で粗暴で残酷でまるで子供のよう。殺人自体が子供の悲しい魂の表現その物のような気がします。何を隠そう僕自身も両親が揃っていて普通に育ったのにどうしてか小さな頃からずっと「捨てられた感」が拭えません。なので「オペラ座血の喝采」の殺人犯からの歪んだ保護のされ方がとてもよくわかる気すらします。

ばななさんの小説にも親から切り離された人がよく登場しますが、ばななさんは、この「捨てられた子供の孤独」のようなものについてどうお考えになりますか？　アルジェント作品にとってだけでなく、とても重要な問題のような気がしています。

(2004.03.28－ドロンパ)


実際に会ってみると、一見すごくオープンでダイナミックな親子たちなのですが（アルジェントさんちの人たち）、やっぱり、ものすご～くゆがんでいて、変わっています。元妻もまるで魔女のような迫力でした。そしてみなとてつもなく孤独な人たちという印象があります。賢くて、笑顔がかわいい人たちでもありました。

監督のご両親もたいそう忙しかったようなので、そして私もそうですが、内省的で自閉症的なところがあると、彼の作品は癒しだと思うのです。あの映像の全てが。

「オペラ座血の喝采」で印象的だったのは、謎の小さい女の子が道案内をしてくれて脱出できるところです。私は、あれは一瞬目が見えなくなった主人公の幼い頃の姿ではないかと解釈しているのですが「自分の中にいる清らかで考えられないほど優しい自分」というのが狂気や孤独から自分をかろうじて救って故高い？　金目当て？」もありえます。

高齢化社会だし、今後自分の進む指針をはっきり持たなくては……と思うのですが、まだまだ定まりません。西洋医学の進歩の恩恵には預かりたい、でも一方では鍼灸や漢方薬など、東洋医学好きで、西洋医学不信も根強く……。

ばななさんはそういう問題への哲学ってお持ちですか？　お聞かせ願えれば嬉しいです。

(2004.02.10－はるママ)


それぞれの体質で注意深く見ていくしかないので、いちがいには何も言えませんね。ただどっちもとりいれた病院も最近できたようだし、ものごとはちょっとずつ進んではいると思います。「これだけやってればオッケー」というものはこの世になく、ほとんどのことが本人しだいだという気もします。なので、本人が「これは効く気がする、この先生にはまかせてもいい」というところを探し当てて、そこからスタートしてあれこれ模索、というのがいいのではないかと思います。自分ももちろんそうします。

私の哲学は「他の方法を批判するところはたいていだめ」という感じです。病気の質と原因と本人の性格をじっくり見たところ、そこが着地点だと思います。そして苦しくなく、具合悪くなくなるべくいられる方法を選びます。

(2004.02.13－よしもとばなな)


こんにちは！　ばななさん！

ダリオ・アルジェント監督に関してずーっと気になってることを質問します。

彼の映画を観ていて一貫して感じるのは、「捨てられた子供の孤独」のようなものです。「サスペリア」から最近の「スリー返答いただけると嬉しいです。

(2004.02.08－みや)


すばらしい小学生でしたね（?）!

他人に読ませることをかすかに意識しつつ、あくまで書きたいことをわかりやすく、というバランスではないでしょうか。

他人のことばかり意識していると何も書けなくなってしまうので（たとえばですが、子供のことを書くと必ず『子供がもてない人が読んだら気の毒だ』という意見があるし、食べ物のことを書くと必ず『まずしい人に失礼だ』という意見が出ます。そういうのを投げ飛ばしてでも書くという気持ちがないと、読んだとき面白かったり、困っている人が力づけられたりしないのだと思います）、どこかつきぬけて、そして必ずどこか根底に「他者への奉仕の心」があると、必ず伝わると思います。

(2004.02.11－よしもとばなな)


こんにちは、ばななさん。今日は、ばななさんの、薬の服用や医療受診に対する考え方をお聞きしたくてメールしました。

一般の西洋医と、それに反対して、保険が効かず待ち時間メチャ長で、にもかかわらず末期癌患者さんたちがすがるような医者。両者が妥協しあう点ってありえないんでしょうか。

実は旦那が両者の薬を服用しているのですが、両者とも他方への批判厳しく、そして、現実は両者が処方してくれたもの（一方は病院でだされる一般的な肝臓の薬で、一方はメチャ高い抗酸化食品）を併用し出した時、劇的に検査結果が改善しました。

今、肝臓の薬をやめ、結果は悪い方に戻った状態です。

が、非保険派の言い分「(一般的に病院で処方する）薬は副作用が絶対ある。」をどう判断すべきか迷っています。または「抗酸化食品だって、何が入ってるかわからない。しかも、何

らすごく大事なのは冗談以外では人の悪口を言わないことです。目がにごるし、時間がもったいないし！　でも冗談ではいくらでも言います。あと、先入観でものを見ないようにすることです。だってたとえパンチで雪駄でも、編集者かもしれないじゃないですか！

……といっても私もまだまだですが！

(2004.02.02－よしもとばなな)


ばななさんこんにちは。ばななさんの作品と出会った小学生の頃、課題図書を全く無視して「アムリタ」で読書感想文を書き先生を閉口させた、現在は大学生の女です。

実は中学・高校と活字離れしていたのですが、大学に入ってからあまりの通学時間の長さ（片道2時間半で……）に、またばななさんの作品を読み返す日々を送るようになりました。

やはり何度読んでも、読後ぼんやりとしてしまう、すばらしい作品ばかりで、「私は一生このひとの作品と生きていくんだろうなあ」と思っております。

ええと、質問です。私も趣味が絵を描くことで、小さいながらも自分のサイトを持ち、日記を書いていたりするのですが、どうも文章が長々としてしまい、まとまりがありません。

そればかりか普段人と話しているときも、マジメな話になればなるほどだらだらと長くなってしまい、なんだか結局一番大切なことは伝わってないような、そんな気がします。

ばななさんは小説の他にも、エッセイやこのサイトの日記などの文章をお書きになっていますが、そういう文章や日常的な会話のとき、なにか「伝えるための工夫」みたいなものをされていますか？　されているとすれば、具体的にはどんなことに注意していますか？

エッセイなどもとても素敵な文章ばかりなので、気になります。

私は三茶にあるチャカティカという店が大好きなんですけれど、そのたったひとつの店で、全てがだんだん変わってきたのです。そういうことっていっぱいあります。たったひとりでも変えられるのです。そういうのが地方でもあるといいな〜と思います。だって、世代は変わってるのに、いつまでもお金めあてのちゃちいものしかできないことがおかしいんです。東京で得たものを地方で発揮することって絶対にあると思う。そのダサさ退屈さに疲れたら、東京にバカンスに来ればいいし。東京の人も気取ってるのに疲れて自然が欲しくなったら地方に遊びに行って楽しめばいいし。今はそうやってお金を回すことが可能な時代なので。

(2004.01.15－よしもとばなな)


はじめまして♪　ばななさん。

ふと気づいたら家にあった「うたかた」を読んで以来、あなたのファンになりました。たぶん、私が文章に親しみが持てたのはそれからです。

最近の事なんですが、大学の帰りに町田でピアノ弾きの方が演奏している所に出会いました。余裕のない時には耳に入っても何も感じないのですが、その日はとても空がきれいだったので、聞こえました。

ばななさんは、普段生活していく中で「感性を磨く」みたいな、そうゆう事をどのように心がけているのですか？

私も、意識をすれば、短編「あったかくなんかない」の主人公が見ている様な、心の奥の風景を発見できるのでしょうか？

(2004.02.01－ゆうき☆)


とにかくまず睡眠不足ではなく、健康であることです。それからいほとんどひきこもりのような生活をして、とことんもう飽きたのでこんなことが言えるのかも。飽きるまでやるというのも手ですかね！

とにかく自分をかわいいと思うことです！　思えなくてもなんでもむりやりに！

(2004.01.08－よしもとばなな)


こんにちは。

最近のばななさんの作品は「海のふた」を含め、ふるさと、というのか田舎？　なのかとにかくそういうものを大事にして欲しいというようなものを含んだものが多く、さらに自分にも迷いがあったのかより深く読むにつけ、都会を離れ一度地元に帰ることに決定しました。影響されまくりです。

それでこの年末は地元・周辺ともどもを「帰るんだ、ここでもう一回始めるんだ」と思いながら、景色を確認したり、人々に会ったり、お話しを聞いたりすることを中心に過ごしました。

そして、私のふるさとは観光地でもなくどちらかと言うと過疎化に傾き始めており、ぎりぎりの所を必死で進んでいる、というようなところだと感じました。住んでいる人もそれを分っているが、どうしようもない、という事を言います。でも、誇るべきところが一つもないという訳ではありません。

さらに、もしかするとそんな所こそが今の日本には一番多いのかもしれないと思いました。ばななさんは、そういう場所の再生もあって欲しいと思われますか？

そういうところから来た知人は多くいると思いますが、割とみんな都会志向だと思います。もちろん都会が悪いとは思いませんが、ばななさんの作品を読むとそれだけではないぞ、という考えがぽかん、と浮かぶので聞いてみようと思いました。

(2004.01.13－あらら)

私としては、甘えたいな、という気持ちと、いや、誰にも期待せずひとりで歩んでいくべきだわ！　という気持ちの間で揺れ動く毎日でございます。それでも本音は、会いたかったり、触れたかったりするときには、あまり考えすぎずに、シンプルに、素直に表せたらいいな、いや、今年はそういう弱さをぶっちゃけてこう、という方向に向きつつあります。

ばななさんは、寂しいときや誰かに甘えたいときにはちゃんと行動に反映させる方ですか？　それとも、自己制御が働く方ですか？　はたまた、そういう次元にはいなくて、他のもの、景色や出来事など、いろいろなところからパワーを吸収して、どうしょうもない、ってな気持ちにはならないんでしょうか？

とにもかくにも「王国２」を楽しみにお待ちしております。体に気をつけて、今年一年もよい作品を育ててくださいませ。

(2004.01.07 - ぱんだ)


それは、ひとことでいうと、暇なんですよ。その寂しさも、甘えも、本物ではなくて、ちょっとたまらない、というくらいなんだと思う。

私はほんと〜うに自分がかわいいので、あのいやな気持ち（今、まさにそのことを小説に書いていまする）になりたくないんですよ。さほど好きでないし好かれてない人と勢いでやって続く、というようなだるい気持ち。会ってもしゃべることもないし、とりあえずやっとくかね？　みたいなあの気持ち。私は、幸いこの人生でそういうことって数回しかないんですけどね。とりあえずやっとこう！　と思っても、それは一回だけですね。それもこれもみな自分がかわいくて自分の時間が大事だから、いやなことに使いたくないんです。みなが私くらいエゴイストになれたら、あのいやな気持ち、だるくて、暇で、退屈で、重い感じはなくなると思うなあ。私は高校くらいのとき、四年間く偶然いい人で、体もばっちり！　なんていう甘い話はいずれにしてもこの世にはおまへんえ（ありがちに間違った関西弁）！　最近はどのサロンもホームページを持っているので、まずサイトの書き方、デザイン、その人の顔などちゃんとチェックして、納得行くところを調べてみてはいかがでしょうか。癒しと言うのはきつい側面もくぐらなくてはいけないので、覚悟が必要だし、自分の体を治してほしいということは内面的なものもさらけだすわけだから、信頼できる人を探すのは当然だと思います。まずは自分です。自分が中途半端な気持ちでなく、具体的なビジョンを持っていれば、必ずいい人にめぐりあえると思います。グッドラック！

(2004.01.05－よしもとばなな)


ばななさん、明けましておめでとうございます。私はこの年末年始、胃腸の調子が悪く、ほとんど物も口にできず、お酒も飲めず、史上最高にテンションの低いお正月でした。そんな調子で物理的にひまをもてあましていたので、脳みそがいつもより働いてしまい、いろいろと考えが止まらなくなってしまって困っています。

恋愛じゃないところでセックスをして、情がわくんだけど、それでもやはり恋愛関係ではなくて……でも、次も会いたくなってセックスしたくなったり、っていう状況が最近私の周囲で頻発してるんです（私も例に漏れず……）が、なんでなんだろう。そして、情がわくっていうのは女心なんだろうか。みんな寂しいのでしょうか。そしてその寂しさはどうして、同性の友人や家族で埋められないんでしょうか？　答えはでません。視野が狭いのかな？　世の中って他にもっとステキなこともたくさんあるんでしょうけど、どうしても人と人との間のことで安心を得てしまいがちです。

ばななさん、明けましておめでとうございます。

私は生理痛で正月中ゴロゴロして過ごしてしまいました。

ばななさんの日記を読んでいると、リフレクソロジーやレメディなどが魔法みたいに効いているように思え、今日みたいに調子の悪い時は調べてみたりするのですが、行ったことがない所へいきなり身体の弱い部分をさらけ出しに行くのに怖気づいて、結局行くことが出来ません。

深く考えずにとにかくサロンや診療所の門をくぐってみることもあるのですが、この5年ほど「！　この人すごい！」という人には巡り会えていません。東京には癒す場所の数が多すぎて、どこが自分にとって良い所なのか行く前に迷ってしまいます。

ばななさんはどうしてそんなに素晴らしいリフレクソロジストやレメディのプロ（呼び方を良く知らない……すみません）に出会えるのでしょう。紹介とかではなく、ふらっと入った所でお付き合いが続いている癒しのプロっていらっしゃいますか？

どこかにとかげのような鍼灸師はいないのかな……。

(2004.01.04－なかこ)


案外いつでもうまくいきますよ。でも、下しらべが当然！大切です。

紹介というのは私の場合、ほとんどないです。ホメオパシーは間接的に紹介でしたが、ネットでも調べました。本も読みました。そして納得がいかなければその理由を相手に告げ、きちんと行かなくなりました。そうやって過ごしていく中で、続いているところを日記に記しているわけですね。いきなり行って、

Q & A

あとがき

前の巻にも書きましたが、たとえつらい日々でも、もしもこの日々に戻れるならもうなんでもします、という気持ちが今も続いています。

立派なペットロスです……。

どんなにプロの技でとりつくろおうとも、ラブ子が生きていた日々のような明るい文章はいまだに書けません。だから、なんとなく前半の自分の文がいとおしく思えました。

でも、日々は過ぎていき、いつかまた明るさのにじみ出る文を書ける日も来るだろう、それが人生だろう、そう思いたいです。

みなさんが載せてほしいと言うので、友達のちほちゃんの言葉を当時の特別企画のまま、私の文章も添えておまけで載せます。ちほちゃんありがとう。

そうそう、断乳したらほんとうにあっという間に三キロ太ってびっくりしました。子供の吸い取る力ってすごいなあ、とほんとうに感動しました。あと、まりもは全然育ちません。おばさんが丸めたからなのか？

いつもながらこの本を作るまでにいっぱいの作業を惜しみなく手伝ってくださったみなさんに心から感謝します。

編集の松家さん、ばなな事務所のみなさん、管理人鈴やん、デザインの望月さん、かわいい表紙の百田さん……ありがとう！

２００４年12月

よしもとばなな

【付録】

「ちほちゃんの言葉」

自分が40になるだけのことはあり、さすがに親も高齢になりやたらと怪我《けが》をしたり入院したりして、いろいろと心の準備をはじめなくてはいけない年齢になってきました。そして、犬も年をとってきて（いっしょにしていいのか？）、やはり見送る準備が必要になってきました。

まあ、今日明日にすぐにどうこうということはないので切実さには欠けるのですが、そして悲観的に考えるとものごとはどんどん悲観的に見えてくるので、いつでも明るく自分自身の一日一日を生きるしかないのですが、高齢の両親が入院したり犬が病気になったり（これまたいっしょにしていいのか？）するたびに、少しずつ自然に覚悟を決めていかなくてはならないのが人生というものです。

「うちの親だけは死なない！」「うちのペットだけは死なない！」誰もがそう思うけれど、やっぱり自然なこととして、いつか別れがくるのです。それをお互いにとってすばらしい機会にするのには、なによりも愛情、そして強さ、さらには人の助けがどうしても必要です。

最近あいついで親や犬が（こうやっていっしょに……以下略）倒れたり入院したり看病したりしていて、そういうことにまつわるいろいろがつらく切ないとぐちったら、彼女はすばらしい言葉をメールしてくれました。

その簡潔さと生命力と考え方のすばらしさに私はとても感動し、涙しました。

まだ私の親は見たところ大丈夫ですので、どちらかというと犬に対するこころがまえなのですが、それでもやっぱりぐっときましたし、あてはまると心から思いました。

私は頭ではたいていのことを受け入れていますが、やはりひとりの弱い人間なので、誰かが自分にこういうことを言ってくれている、ということ自体から力をもらったと思います。

そしてまわりの愛する人々全《すべ》てがそういう力を私にくれているのだと思いました。

ちほちゃんは私の小説「野菜スープ」のモデルになった人で、うんと若いときに最愛のご主人を亡《な》くされています。だからこそ、こんな言葉を書けるのだと思いました。

つらい境遇にある人、そして身近な人や動物の病気や死がこわくてしかたない人たちにとって、きっと役に立つ言葉だなあと思って、ここでシェアすることにしました。

「その人のために自分がやれることは全部やること。

できる限り自由を、感じられるようにしてあげられること。

どんなにわがままになっても、その人の言葉に耳をかたむけること。

でも振り回されないこと。

病気にさしさわりのない程度に、家族の作った料理を食べてもらうこと。

自分が楽しいことをやめないこと。

自分が丈夫で健康できれいでいること。

自分がたまにでもおいしい、人の作った料理を食べること。

病気の空気の中だけにいないこと。

病気の人に、外の世界の空気を自分で運んであげること。

特別なことでなくてもいいので、楽しい時間を過ごすこと。

その人のそばに、生き生きとした生き物がいる、あること。

恐怖とか、絶望とか、黒いものに呑《の》み込まれないこと。

自分が悲しい気持ちをいっぱいためこまないで、こまめに吐き出したり、誰かにちょっとだけ共有してもらうこと。

病気の人も看病する人も一人では試練に立ち向かえないので、そばにいる人の愛情がなによりも大切。

自分以外にも、看病している家族や友人をねぎらうこと。

どうしてもこちら側にまだいてもらいたいときはひきとめてもいい。

できるかぎり手を握り続けること。

でも、その人が本気で向こうに行く決心がついたときは、納得して見送ること。」

本書は新潮文庫のオリジナル編集である。

さようなら、ラブ子《こ》

―yoshimotobanana.com 6―

新潮文庫　よ - 18 - 12

平成十七年三月一日発行

著者　よしもとばなな

発行者　佐藤隆信

発行所　株式会社　新潮社

郵便番号　一六二―八七一一
東京都新宿区矢来町七一
電話　編集部(〇三)三二六六―五四四〇
読者係(〇三)三二六六―五一一一
http://www.shinchosha.co.jp

価格はカバーに表示してあります。

乱丁・落丁本は、ご面倒ですが小社読者係宛ご送付ください。送料小社負担にてお取替えいたします。

印刷・錦明印刷株式会社　製本・錦明印刷株式会社

ISBN4-10-135923-7 C0195